접속사·관계사·기타 구문편

그래머 캡처 2 (접속사·관계사·기타 구문편)

지은이 넥서스영어교육연구소
펴낸이 임상진
펴낸곳 (주)넥서스

출판신고 1992년 4월 3일 제311-2002-2호 ①
10880 경기도 파주시 지목로 5
Tel (02)330-5500 Fax (02)330-5555

ISBN 979-11-6165-201-6 (54740)
979-11-6165-199-6 (SET)

www.nexusbook.com

단기완성 영문법 특강

한눈에 정리되는 이미지 영문법

GRAMMAR CAPTURE

그래머 캡처 2

넥서스영어교육연구소 지음

접속사·관계사·기타 구문편

NEXUS Edu

GRAMMAR
CAPTURE 2

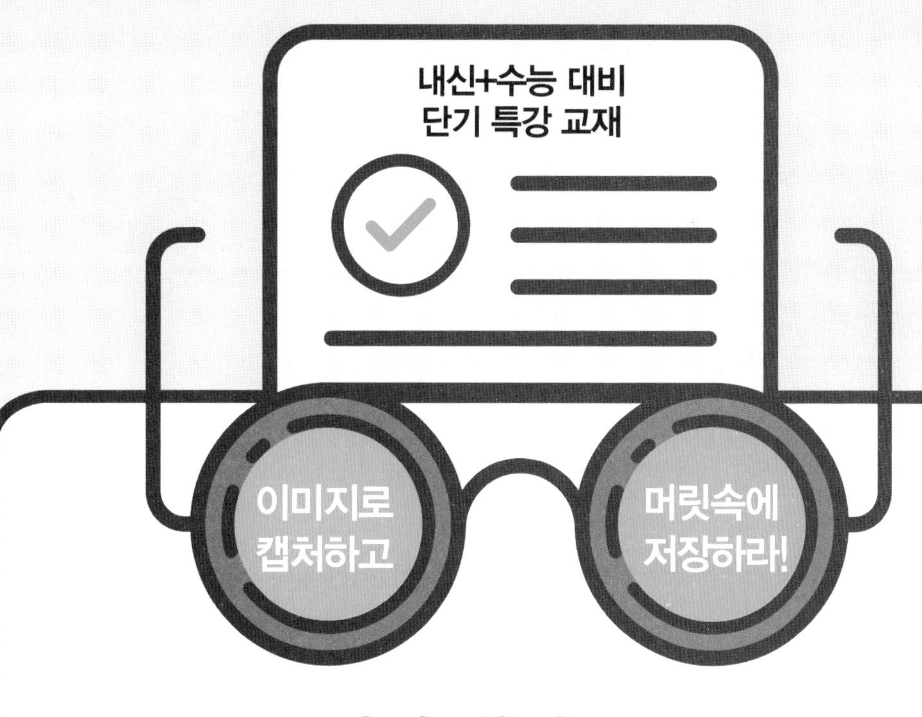

그래머 캡처 시리즈는 ...

+ **중 · 고등학교 필수 영문법**을 심층적으로 다룹니다.
+ **특정 문법 영역으로 구분**되어 있어 선택적으로 학습할 수 있습니다.
+ 단기간에 마무리 할 수 있게 구성되어 **단기 특강용으로 적합합니다.**
+ **필수 문법 포인트를 예문으로 시각화**하여 내용 이해를 쉽게 돕습니다.
+ **문제풀이식 예문**을 통해 학습 효과를 증대시킵니다.
+ 내신 서술형 및 수능 어법 문제로 **「내신+수능」을 한번에** 잡을 수 있습니다.
+ **기출 변형 문제**로 실전 문제풀이 훈련을 할 수 있습니다.
+ **서술형 대비 워크북**을 통해 **문법/어법/독해/쓰기**의 기본기를 다집니다.
+ **추가로 제공되는 모바일 단어장과 문법 포인트 갤러리**로 언제 어디서든 예습/복습이 가능합니다.

FEATURES

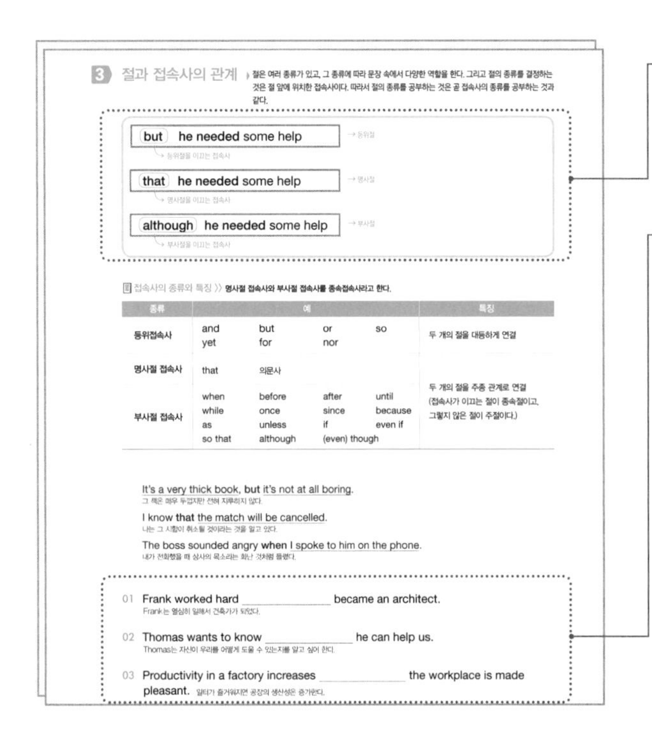

3 절과 접속사의 관계

절은 여러 종류가 있고, 그 종류에 따라 문장 속에서 다양한 역할을 한다. 그리고 절의 종류를 결정하는 것은 절 앞에 위치한 접속사이다. 따라서 절의 종류를 공부하는 것은 곧 접속사의 종류를 공부하는 것과 같다.

but he needed some help → 동위절
↳ 동위절을 이끄는 접속사

that he needed some help → 명사절
↳ 명사절을 이끄는 접속사

although he needed some help → 부사절
↳ 부사절을 이끄는 접속사

접속사의 종류와 특징 〉〉 명사절 접속사와 부사절 접속사를 종속접속사라고 한다.

종류	예				특징
등위접속사	and yet	but for	or nor	so	두 개의 절을 대등하게 연결
명사절 접속사	that	의문사			두 개의 절을 주종 관계로 연결 (접속사가 이끄는 절이 종속절이고, 그렇지 않은 절이 주절이다.)
부사절 접속사	when while as so that	before once unless although	after since if (even) though	until because even if	

It's a very thick book, **but** it's not at all boring.
그 책은 매우 두껍지만 전혀 지루하지 않다.

I know **that** the match will be cancelled.
나는 그 시합이 취소될 것이라는 것을 알고 있다.

The boss sounded angry **when** I spoke to him on the phone.
내가 전화했을 때 상사의 목소리는 화난 것처럼 들렸다.

01 Frank worked hard ______________ became an architect.
Frank는 열심히 일해서 건축가가 되었다.

02 Thomas wants to know ______________ he can help us.
Thomas는 자신이 우리를 어떻게 도울 수 있는지를 알고 싶어 한다.

03 Productivity in a factory increases ______________ the workplace is made pleasant.
일터가 즐거워지면 공장의 생산성은 증가한다.

• 시각화된 문법 포인트

필수 문법 포인트가 도식화되어 있어 한눈에 쉽게 핵심 문법을 파악하고 오랫동안 기억할 수 있습니다.

• 문제화된 예문

예문을 그냥 읽고 끝나는 것이 아니라, 직접 빈칸을 채우거나 알맞은 답을 선택하도록 하여 학습 효과를 높였습니다.

Exercises

Answers / p.02

A 다음 중 알맞은 것을 고르시오.

01 James's first poem was published [while/during] he was at college.

02 I'm not tired [in spite of/although] working hard all day.

03 Robert suddenly began to feel ill [during/while] the examination.

04 Everyone knows [that/and] money doesn't grow on trees.

05 Timmy doesn't do well in school [because of/because] his inability to concentrate on any one thing for longer than a minute or two.

B 다음 중 어법상 틀린 것을 고르시오.

01 ① The weather was ② nice ③ because they ④ went out for a walk.

02 Man ① will live longer ② because of cures ③ for many diseases will have been ④ found.

• 내신 서술형 문제 / 수능 어법 문제 대비 Exercises

내신 서술형 문제로 자주 나오는 다양한 문제풀이를 통해 내신 대비는 물론, 수능 어법 문제풀이를 통해 수능 대비까지도 한번에 가능합니다.

Review Test

[01-10] 다음 중 알맞은 것을 고르시오.

01 [Now that/So that] Beth has a new car, she no longer takes the commuter train to work.

02 I don't expect children to be rude, nor [do I expect/I expect] to be disobeyed.

03 This information will help you understand what changes they are going through and how [you can/can you] soothe the way.

04 The old system was fairly complicated [whereas/despite] the new system is really very simple.

• Review Test

각 Part에서 배운 내용을 수능 어법 기출 변형 문제를 통해 종합적으로 점검하며 복습할 수 있습니다.

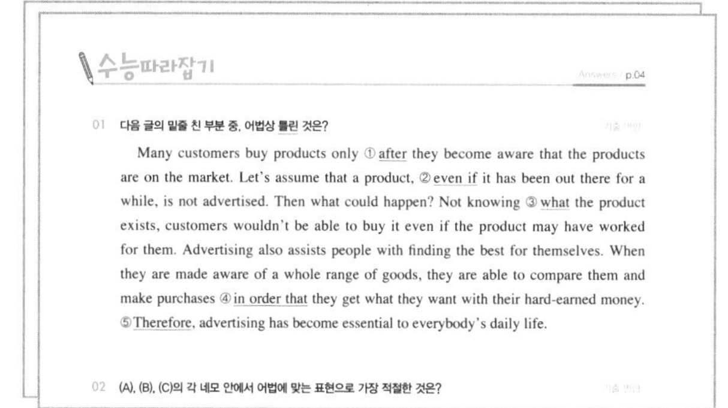
수능따라잡기

Answers / p.04

01 다음 글의 밑줄 친 부분 중, 어법상 틀린 것은?

Many customers buy products only ① after they become aware that the products are on the market. Let's assume that a product, ② even if it has been out there for a while, is not advertised. Then what could happen? Not knowing ③ what the product exists, customers wouldn't be able to buy it even if the product may have worked for them. Advertising also assists people with finding the best for themselves. When they are made aware of a whole range of goods, they are able to compare them and make purchases ④ in order that they get what they want with their hard-earned money. ⑤ Therefore, advertising has become essential to everybody's daily life.

02 (A), (B), (C)의 각 네모 안에서 어법에 맞는 표현으로 가장 적절한 것은?

• 수능따라잡기

최신 기출 변형 문제들을 통해 실제 수능 어법 문제에 완벽히 대비할 수 있습니다.

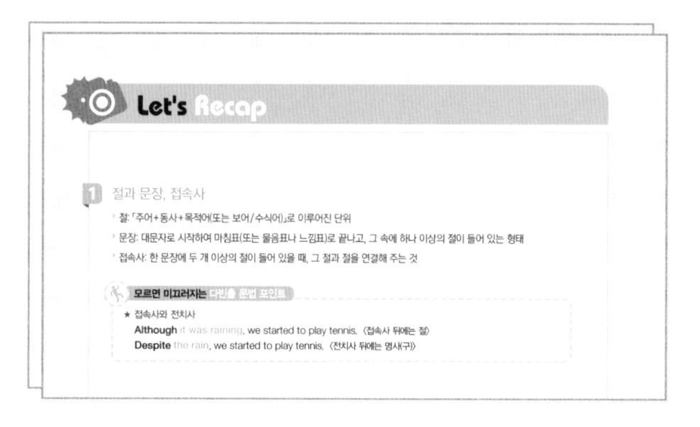
Let's Recap

1 절과 문장, 접속사

- 절: 「주어+동사+목적어(또는 보어/수식어)」로 이루어진 단위
- 문장: 대문자로 시작하여 마침표(또는 물음표나 느낌표)로 끝나고, 그 속에 하나 이상의 절이 들어 있는 형태
- 접속사: 한 문장에 두 개 이상의 절이 들어 있을 때, 그 절과 절을 연결해 주는 것

모르면 미끄러지는 다빈출 문법 포인트

★ 접속사와 전치사

Although it was raining, we started to play tennis. 〈접속사 뒤에는 절〉

Despite the rain, we started to play tennis. 〈전치사 뒤에는 명사(구)〉

• Let's Recap

각 Part에서 배운 핵심 문법 포인트를 간략히 정리하여 Summary Note로 활용할 수 있습니다.

01 절과 문장, 접속사

Answers / p.12

A 주어진 부분이 절이면 O, 아니면 X를 쓰시오.

01 she can't concentrate on her studies ______

02 had to wait in a long line to enter the cinema ______

03 for making such a silly mistake ______

04 whether you like it or not ______

05 the spectators watching the soccer game ______

B 밑줄 친 부분을 바르게 고치시오.

01 If you wish to get ahead, should be diligent and hard-working.

• 서술형 대비 Workbook

다양한 유형의 서술형 문제들을 풀어봄으로써 학습한 내용을 완벽히 이해하고, 어법은 물론 독해 및 쓰기의 기본기를 다질 수 있습니다.

추가 제공 자료(www.nexusbook.com)

어휘 리스트
& 테스트지

통문장 영작
테스트지

통문장 해석
테스트지

동사 · 비교급 변화표
& 테스트지

문법
용어집

Contents

접속사 · 관계사 · 기타 구문편

GRAMMAR CAPTURE ❶ 부정사 · 동명사 · 분사편

PART 1

절과 접속사

LESSON 01 절과 문장, 접속사

LESSON 02 등위접속사 vs. 상관접속사

LESSON 03 명사절

LESSON 04 부사절

절과 문장, 접속사

1 절과 문장

「주어+동사+목적어(또는 보어/수식어)」로 이루어진 단위를 절이라고 한다. 절은 문장과 동일한 성격을 갖는다. 즉, 문장과 마찬가지로 그 자체로 완전하다. 문장은 대문자로 시작하여 마침표(또는 물음표나 느낌표)로 끝나고, 그 속에 하나 이상의 절이 들어 있는 형태를 가진다.

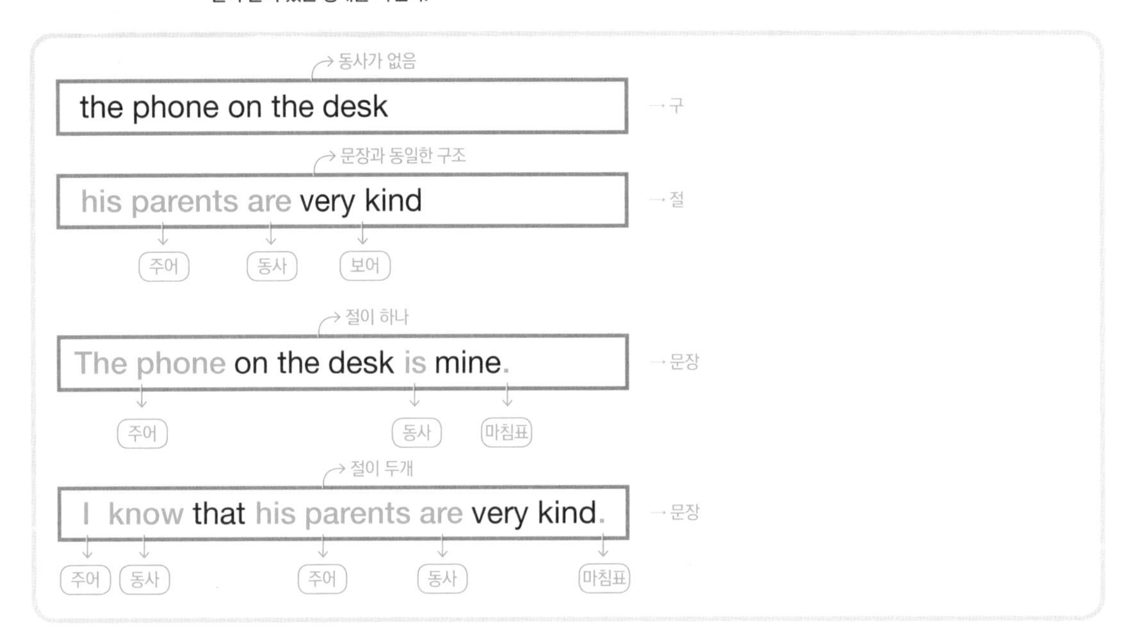

- the phone on the desk 책상 위에 있는 전화기
- his parents are very kind 그의 부모님은 매우 친절하시다
- The phone on the desk is mine. 책상 위에 있는 전화기는 나의 것이다.
- I know that his parents are very kind. 나는 그의 부모님이 매우 친절하시다는 것을 안다.

2 접속사

한 문장에 두 개 이상의 절이 들어 있을 때, 그 절과 절은 접속사가 연결한다. 따라서 접속사 뒤에는 절이 온다.

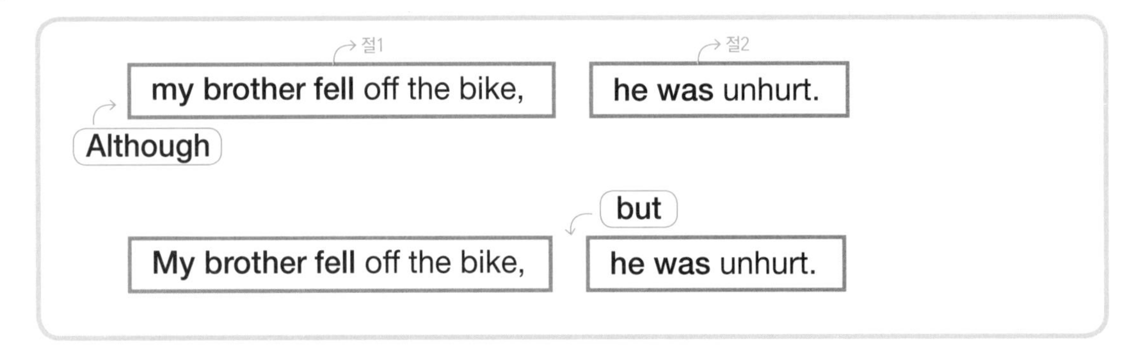

- **Although** my brother fell off the bike, he was unhurt.
  내 동생은 자전거에서 넘어졌지만 다치지 않았다.
- My brother fell off the bike, **but** he was unhurt.
  내 동생은 자전거에서 넘어졌다. 하지만 그는 다치지 않았다.

3 절과 접속사의 관계

절은 여러 종류가 있고, 그 종류에 따라 문장 속에서 다양한 역할을 한다. 그리고 절의 종류를 결정하는 것은 절 앞에 위치한 접속사이다. 따라서 절의 종류를 공부하는 것은 곧 접속사의 종류를 공부하는 것과 같다.

but he needed some help → 등위절
(but: 등위절을 이끄는 접속사)

that he needed some help → 명사절
(that: 명사절을 이끄는 접속사)

although he needed some help → 부사절
(although: 부사절을 이끄는 접속사)

접속사의 종류와 특징 〉〉 명사절 접속사와 부사절 접속사를 종속접속사라고 한다.

종류	예				특징
등위접속사	and yet	but for	or nor	so	두 개의 절을 대등하게 연결
명사절 접속사	that	의문사			두 개의 절을 주종 관계로 연결 (접속사가 이끄는 절이 종속절이고, 그렇지 않은 절이 주절이다.)
부사절 접속사	when while as so that	before once unless although	after since if (even) though	until because even if	

It's a very thick book, **but** it's not at all boring.
그 책은 매우 두껍지만 전혀 지루하지 않다.

I know **that** the match will be cancelled.
나는 그 시합이 취소될 것이라는 것을 알고 있다.

The boss sounded angry **when** I spoke to him on the phone.
내가 전화했을 때 상사의 목소리는 화난 것처럼 들렸다.

01 Frank worked hard ______________ became an architect.
Frank는 열심히 일해서 건축가가 되었다.

02 Thomas wants to know ______________ he can help us.
Thomas는 자신이 우리를 어떻게 도울 수 있는지를 알고 싶어 한다.

03 Productivity in a factory increases ______________ the workplace is made pleasant. 일터가 즐거워지면 공장의 생산성은 증가한다.

01 and 02 how 03 if

4 접속사와 전치사

▸ 접속사와 전치사는 모양이 비슷한 것도 있지만 그 역할은 분명 다르다. 접속사 뒤에는 절이 오지만, 전치사 뒤에는 명사(구)가 온다.

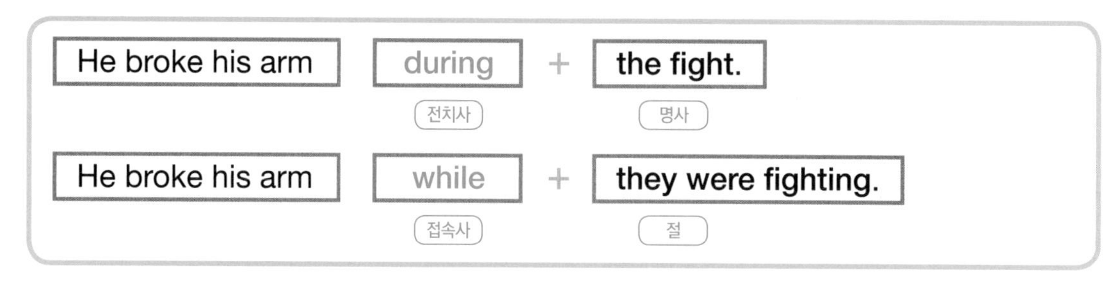

- He broke his arm **during** the fight. 그는 싸우다가 팔이 부러졌다.
- He broke his arm **while** they were fighting. 〈접속사+주어+동사〉

혼동하기 쉬운 접속사와 전치사

구분/의미	접속사(+주어+동사)	전치사(+명사(구))
시간	while	during
대조	although (even) though	in spite of despite
이유	because since as	because of
유사 · 방식	as	like

01 We didn't go out because of the rain.
= We didn't go out ______________ it was raining.
비가 오기 때문에 외출하지 않았다.

02 Although it was raining, we started to play tennis.
= ______________ the rain, we started to play tennis.
비가 왔지만 우리는 테니스를 쳤다.

03 Paul fell asleep ______________ he was watching the movie.
= Paul fell asleep during the movie.
Paul은 영화를 보는 중에 잠이 들었다.

04 Kate acted ______________ my baby sister.
= Kate acted just as I would expect my baby sister to behave.
Kate는 나의 여동생처럼 행동했다.

01 because 02 Despite[In spite of] 03 while 04 like

Exercises

Answers / p.02

A 다음 중 알맞은 것을 고르시오.

01 James's first poem was published [while/during] he was at college.

02 I'm not tired [in spite of/although] working hard all day.

03 Robert suddenly began to feel ill [during/while] the examination.

04 Everyone knows [that/and] money doesn't grow on trees.

05 Timmy doesn't do well in school [because of/because] his inability to concentrate on any one thing for longer than a minute or two.

B 다음 중 어법상 틀린 것을 고르시오.

01 ① The weather was ② nice ③ because they ④ went out for a walk.

02 Man ① will live longer ② because of cures ③ for many diseases will have been ④ found.

03 ① I've looked ② everywhere for them, ③ although I can't find ④ them anywhere.

04 ① Though his sickness, he ② participated in ③ the international conference ④ as a guest speaker.

05 I ① must go to the bank ② to change some money ③ for then I'm going to the post office ④ to buy some stamps.

C 다음 주어진 단어를 이용하여 조건에 맞게 영작하시오.

조건 ① 필요 시 단어를 추가 및 변형할 것 ② 시제에 유의할 것

01 그는 심하게 넘어져서 팔이 부러졌다. (fall, heavily, and, break)

→ ______________________________

02 내가 전에 말했듯이 미안하다. (as, say, before)

→ ______________________________

03 그들이 잠든 동안에 누군가가 그 집으로 침입했다. (while, asleep, someone, break into)

→ ______________________________

04 중간고사가 가까이 다가왔지만 나는 공부에 집중할 수 없었다. (although, the midterm, around the corner, unable, concentrate on)

→ ______________________________

LESSON 02

등위접속사 vs. 상관접속사

1 등위접속사

▸ and, or, but, yet은 단어와 단어, 구와 구도 연결한다.
and, or, but, yet 뒤의 주어는 주절의 주어와 일치할 경우 생략 가능하다.

구분		의미
and	추가	A and B: A와 B 모두
but	대조	A but B: A와 B가 서로 대조
or	선택	A or B: A와 B가 서로 배타적
yet	대조	A yet B: A와 B가 서로 대조
so	결과	A so B: B가 A의 결과
for	이유	A for B: B가 A의 간접적 이유
nor	부정의 연속	A nor B: A와 B 모두 부정

등위접속사 nor 뒤에 오는 절은 주어와 동사 순서가 도치된다.

He wasn't happy about the results and **nor was I.**
그는 결과에 불만족스러워했고, 나도 마찬가지였다.

2 상관접속사

▸ 등위접속사 중에는 세트로 쓰이는 접속사가 있다. 이를 상관접속사라고 한다.

구분	의미
both A and B	A와 B 모두
either A or B	A이거나 B, 〈A or B〉와 같은 뜻
neither A nor B	A와 B를 모두 부정, 'A도 B도 아닌'
not only A but (also) B	A뿐만 아니라 B도 또한
A as well as B	B뿐만 아니라 A도 또한

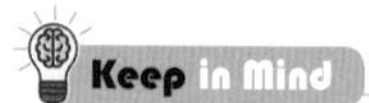

등위접속사나 상관접속사는 문법적으로 같은 역할을 하는 병렬구조를 이룬다.

He wants fortune **and** fame. 〈명사+명사〉 그는 부와 명성을 원한다.
My sister **neither** speaks French, **nor** understands it. 〈구+구〉 내 여동생은 불어를 말하지도 이해하지도 못한다.

01 They were talking **and** ______________________. (laugh)
그들은 대화하면서 웃고 있었다.

02 He doesn't want to live in the country, **nor** ______________________ to live in the city. (he, want) 그는 시골에서 살고 싶어 하지도 않고, 도시에서 살고 싶어 하지도 않는다.

03 Daniel **not only** washed the car, **but also** ______________________ it. (polish)
Daniel은 세차했을 뿐만 아니라, 광택도 냈다.

01 laughing 02 does he want 03 polished

Exercises

Answers / p.02

A 다음 중 알맞은 것을 고르시오.

01 They were singing and [to play / playing] instruments.

02 Either say you're sorry or [get / getting] out!

03 That is an inexpensive yet [effective / effectiveness] solution to our problem.

04 There is always a black market not only [Britain / in Britain] but also in many other parts of Europe.

B 괄호에 주어진 접속사를 이용하여 두 문장을 하나로 연결하시오.

01 Our parents were strict. They were always fair with us. (but)

→ ______________________________

02 We went to a restaurant. We had wonderful meals there. (and)

→ ______________________________

03 She sold her house. She can't help regretting it. (yet)

→ ______________________________

04 He will not help them. I will not help them, either. (nor)

→ ______________________________

C 다음 주어진 단어를 이용하여 조건에 맞게 영작하시오.

조건 ① 필요 시 단어를 추가 및 변형할 것 ② 상관접속사를 쓸 것 ③ 시제에 유의할 것

01 Anderson 씨도 그녀의 비서도 뉴욕을 방문하지 않을 것이다. (Ms., secretary, be visiting, New York)

→ ______________________________

02 Mark나 Jean 둘 중 하나가 그 회의에 참석할 예정이다. (be going to, attend)

→ ______________________________

03 학생들뿐만 아니라 그 선생님도 그 답을 알고 있다. (not only, the teacher, know)

→ ______________________________

04 Tom과 그의 자녀들 모두 테니스를 즐긴다. (both, enjoy)

→ ______________________________

05 그녀는 농구뿐만 아니라 소프트볼도 잘한다. (good at, as well as)

→ ______________________________

LESSON 03

명사절

1 that절 ▶「that+완전한 절」을 that절이라고 한다.

that he had passed the exam	=	that	+	he had passed the exam
that 절		접속사 that		완전한 절

- He boasted **that** he had passed the exam. 그는 시험에 합격했다고 자랑했다.

1) that절의 역할 ▶ that절은 명사처럼 기본적으로 주어, 목적어, 보어, 동격의 역할을 한다.

That the weather is not going to improve is apparent. 〈주어〉
날씨가 좋아지지 않을 것은 분명하다.

He convinced me **that** he is innocent. 〈목적어〉
그는 자기가 결백하다고 나를 확신시켰다.

My assumption is **that** he will pass the exam. 〈보어〉
그가 시험에 합격할 것이라는 것이 나의 추측이다.

We must face the fact **that** we might lose our deposit. 〈동격〉
우리는 계약금을 잃을지도 모른다는 사실을 직시해야 한다.

01 ______________ he will be successful is not certain.
그가 성공할 것이라는 것은 확실하지 않다.

02 They told us ______________ once again the situation was serious.
다시 한 번 상황이 심각해졌다고 그들이 우리에게 말했다.

03 The truth was ______________ we never saw her.
우리가 그 여자를 보지 못했다는 것은 사실이다.

04 It's based on the idea ______________ all people are created equal.
그것은 모든 인간은 평등하다는 생각에 근거한다.

2) that절의 it 대체 ▶ that절이 5형식의 목적어로 쓰인 경우 반드시 it으로 대체해야 한다.

I made **it** clear **that** the government policy was wrong. 나는 정부의 정책이 잘못되었다는 것을 명확히 했다.
I made **that** the government policy was wrong clear. (X)

05 Mary's success makes ______________ possible ______________ she will return to California. Mary의 성공이 그녀가 캘리포니아로 귀향하는 것을 가능하게 한다.

06 I find ______________ strange ______________ they don't want to visit the city.
나는 그들이 그 도시를 방문하는 것을 원하지 않는다는 점이 이상하게 여겨진다.

01 That 02 that 03 that 04 that 05 it, that 06 it, that

2 간접의문문

▸ 의문문이 의문문으로 쓰이지 않고 더 큰 문장에서 문장의 일부로 쓰이는 것을 간접의문문이라고 한다. 간접의문문은 명사와 거의 같은 역할을 한다. 즉, 주어, 타동사의 목적어, 전치사의 목적어, 보어 역할을 한다.

1) 의문사가 있는 간접의문문의 형태

▸ 의문사가 있는 의문문이 평서문 어순(s+v)으로 바뀌면 의문사절이 된다.

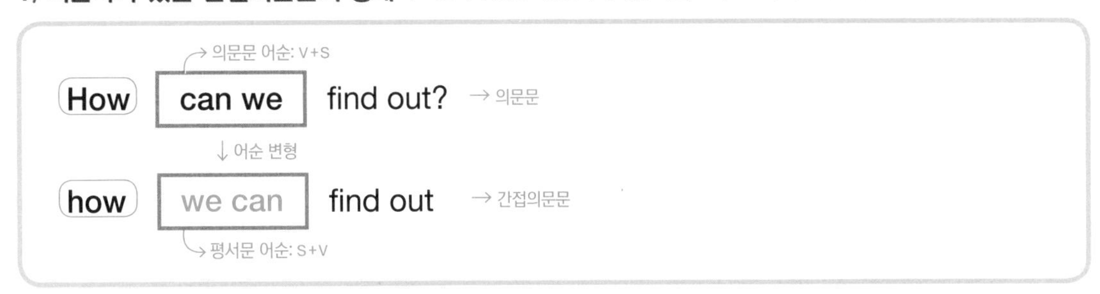

- How can we find out? 〈의문문〉 우리가 어떻게 발견할 수 있을까?
- I was wondering **how** we can find out. 〈간접의문문〉 우리가 어떻게 발견할 수 있을지 나는 궁금해 하고 있었다.

When the zero was invented is not known. 〈주어〉
숫자 0이 언제 생겼는지는 알 수 없다.

Do you know **what** John is looking for? 〈타동사의 목적어〉
John이 무엇을 찾고 있는지 아니?

I'm interested in **why** you think that way. 〈전치사의 목적어〉
나는 네가 왜 그렇게 생각하는지 관심이 있다.

The question is **who** Ann played tennis with. 〈보어〉
문제는 Ann이 누구와 테니스를 쳤느냐이다.

01 I wonder what time ______________. (it)
몇 시인지 궁금하다.

02 Could you tell me what time ______________________? (the concert, start)
그 음악회가 몇 시에 시작하는지 알려 주실래요?

2) 의문사가 없는 간접의문문

▸ 의문사 없는 의문문, 즉 Yes-No 의문문이 간접의문문이 되면 앞에 if나 whether를 추가한다. if절(명사절)은 주어, 보어, 전치사의 목적어, 동격으로 쓰이지 못하고 타동사의 목적어로만 쓰인다.

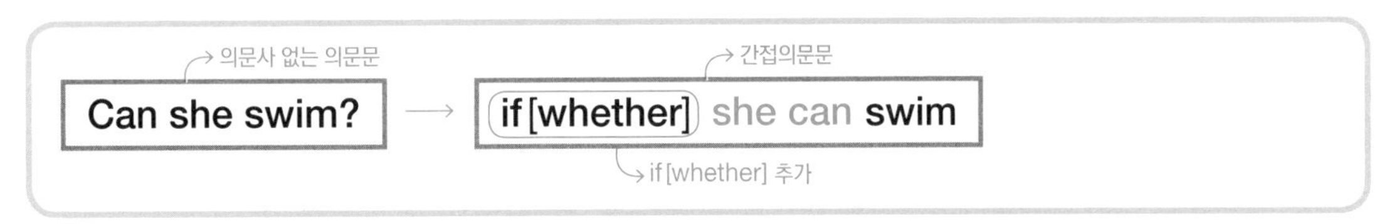

03 ______________ he has signed the contract doesn't matter.
그가 계약서에 서명했는지는 중요하지 않다.

04 I want to know ______________ he has signed the contract.
나는 그가 계약서에 서명했는지 알고 싶다.

01 it is 02 the concert starts 03 Whether 04 whether[if]

3 that절 vs. 간접의문문

1) that 절 ▸ 접속사 that을 빼면 완전한 절 vs. 간접의문문 ▸ 주어나 목적어, 보어 역할을 하는 의문사를 빼면 불완전한 절

↗ 생략 가능 ↗ 완전한 절
(that) [John delivered this package] → that절

↗ 생략 불가 ↗ 불완전한 절
who [delivered this package] → 간접의문문

- Do you know **(that) John delivered this package?** 〈that절〉 John이 이 소포를 배달했다는 것을 아니?
- Do you know **who delivered this package?** 〈간접의문문〉 누가 이 소포를 배달했는지 아니?

➜ 간접의문문에서 주어를 대신하는 의문사가 빠지면 의문사절이 불완전하나, 의문부사는 빠져도 의문사절은 완전해 보인다.

01 We are sure ______________ he will be successful. 〈완전한 절〉
우리는 그가 성공할 것이라고 확신한다.

02 I want to know ______________ ______________ fits in this puzzle. 〈주어 없는 불완전한 절〉
나는 이 퍼즐에서 어떤 조각이 맞는지 알고 싶다.

03 Do you know ______________ ______________ a taxi would cost? 〈목적어 없는 불완전한 절〉
당신은 택시 요금이 얼마인지 아나요?

04 I don't know ______________ he didn't accept the order. 〈완전한 절〉
나는 그가 그 지시를 왜 받아들이지 않았는지 모른다.

2) that 절 ▸ 전치사의 목적어로 쓰이지 못함 vs. 간접의문문 ▸ 전치사의 목적어로 쓰임

I'm concerned <u>about</u> **whether he has signed the contract.**
I'm concerned ~~about~~ **that he has signed the contract.** (X) 〈about을 삭제해야 함〉
나는 그가 계약서에 서명한 것이 걱정된다.

05 I'm afraid [of that / that] I won't be able to come to the event.
나는 그 행사에 가지 못할까봐 두렵다.

06 He is proud [of that / that] his daughter won the competition.
그는 그의 딸이 그 대회에서 이긴 것이 자랑스럽다.

07 I'm sorry [about that / that] I wasted your time.
내가 너의 시간을 빼앗아 미안하다.

08 We're curious [about why / about that] you didn't show up at the party.
우리는 왜 네가 그 파티에 나타나지 않았는지 궁금하다.

01 that 02 which piece 03 how much 04 why 05 that 06 that 07 that 08 about why

3) that 절 ▶평서문의 의미 vs. 간접의문문 ▶의문문의 의미

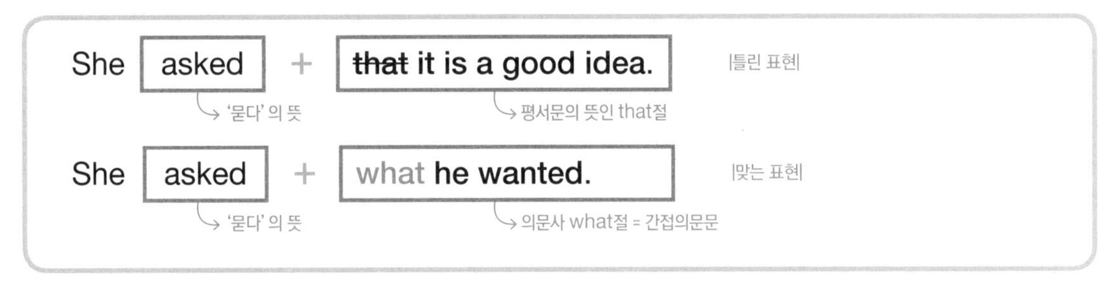

- They agree that it is a good idea. 〈agree+평서문〉 그것이 좋은 생각이라는 데 동의한다.
- She asked what he wanted. 〈ask+의문문〉 그녀는 그가 무엇을 원하느냐고 물었다.

→ agree는 '동의하다'의 뜻이므로 평서문(that절)의 내용이 목적어로 오고, ask는 '묻다'의 뜻이므로 의문문(간접의문문)의 내용이 목적어로 온다.

4) 간접의문문을 주로 목적어로 취하는 표현들

know 알다	tell 판단하다, 식별하다	imagine 상상하다
mind 꺼려하다	ask [inquire] 묻다	wonder 궁금하다

01 I don't know (that/who) will look after the baby.
나는 누가 그 아이를 돌볼 것인지 모른다.

02 He boasted (if/that) he had bought a beautiful house.
그는 자신이 아름다운 집을 샀다고 자랑했다.

03 I inquired (that/whether) the tickets were ready.
나는 그 티켓들이 준비되었는지를 물었다.

04 I wonder (if/that) you could tell me where the bank is.
저는 당신이 저에게 은행이 어디 있는지 알려줄 수 있는지 궁금합니다.

01 who 02 that 03 whether 04 if

Exercises

Answers / p.03

A 다음 주어진 문장을 〈보기〉처럼 간접의문문으로 바꾸시오.

보기 Who is that man? → I want to know who that man is.

01 How far is it to Denver from here?
→ I need to know ______________________.

02 Whom did Alex see at the meeting?
→ I don't know ______________________.

03 What is John looking for?
→ I have no idea ______________________.

04 Which book are we supposed to buy?
→ Roberto wants to know ______________________.

B 다음 문장에서 어법상 틀린 부분을 찾아 바르게 고치시오.

01 The police officer asked the men what were they doing.

02 She asked I wanted a drink.

03 I'm concerned about that he is involved in the accident.

04 They have made plain that they oppose any tax cuts.

C 다음 주어진 단어를 이용하여 조건에 맞게 영작하시오.

조건 ① 필요 시 단어를 추가 및 변형할 것 ② 시제에 유의할 것 ③ 접속사를 쓸 것

01 Jane은 우리에게 그가 우리와 함께 오지 않기로 결정한 이유를 설명할 수 있다. (tell, why, decide, come with)
→ ______________________

02 그 어린이들이 매우 조용한 것은 매우 이상하다. (it, strange, children, so, quiet)
→ ______________________

03 나는 그가 호주 억양으로 이야기하는 것이 눈에 띄었다. (notice, speak, an Australian accent)
→ ______________________

04 Thompson 씨는 그가 편을 들지 않겠다는 것을 명확하게 했다. (make, clear, will, take sides)
→ ______________________

LESSON 04

부사절

1 부사절의 형태

부사절 접속사란 절을 부사절로 만드는 접속사를 말하며, 그 형태는 「부사절 접속사+완전한 절」이다.

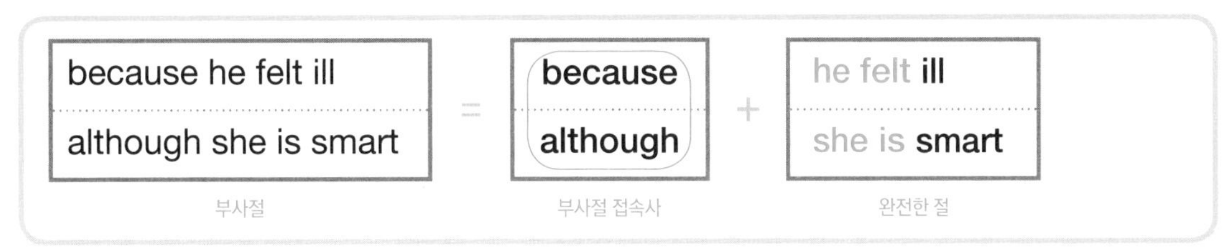

- He went to bed **because** he felt ill. 그는 아팠기 때문에 잠을 잤다.
- She failed math, **although** she is smart. 그녀는 똑똑하지만 수학을 낙제했다.

→ 'because he ~ ill', 'although she ~ smart'가 부사절이며, because와 although가 부사절 접속사이다.

2 부사절의 역할

부사절의 역할은 부사와 마찬가지로 동사 수식과 절 수식이다.

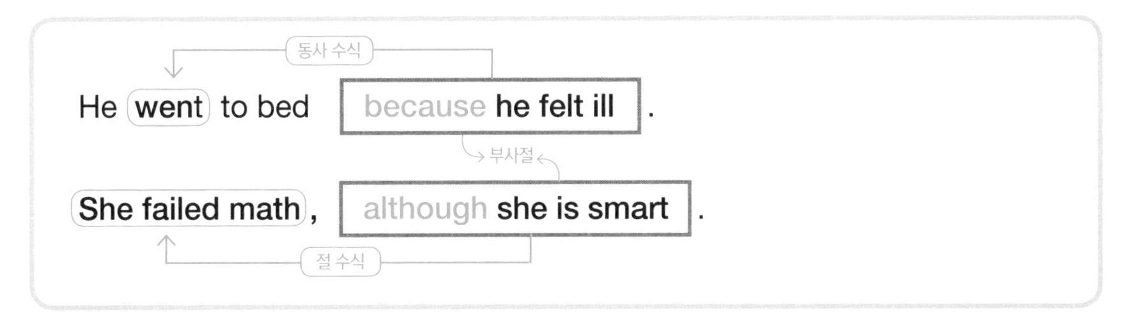

◈ 부사절 vs. 명사절

명사절은 문장 속에서 꼭 필수적 요소로 쓰이지만 부사절은 없어도 되는 선택적 요소로 쓰인다. 부사절이 없어도 전체 문장은 완전하다.

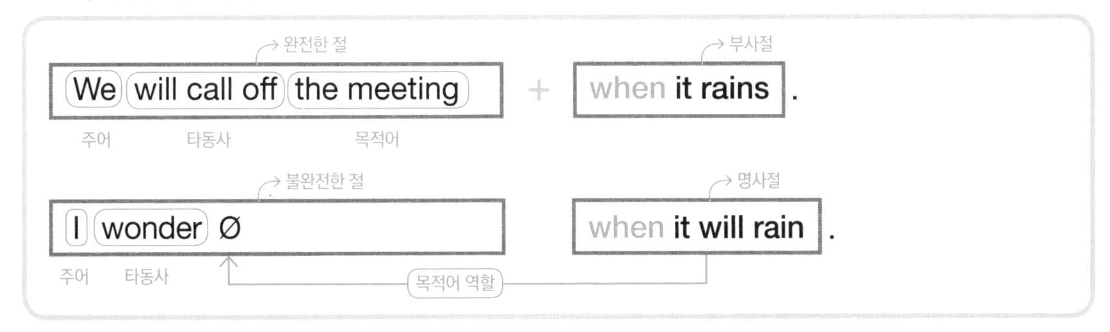

- We will call off the meeting **when** it rains. 〈부사절〉 비가 오면 우리는 그 회의를 취소할 것이다.
- I wonder **when** it will rain. 〈명사절〉 나는 비가 언제 올지 궁금하다.

3 시간 부사절

1) 종류와 의미

종류	의미
when	일정 시점: ~할 때, 주절과 부사절의 시점이 같음
while	기간: ~하는 동안, 진행형 시제 주로 쓰임
as	시간의 흐름: ~함에 따라
before	시점의 차이: ~전에
after	시점의 차이: ~후에
until	계속: ~할 때까지 (not A until B: B하고 나서야 A하다)
since	~이후로[이래로], 주절의 시제는 현재완료가 쓰임
as soon as	~하자마자
once	일단 ~하면[하자마자], when과 비슷함
by the time	기준이 되는 시점: ~할 때까지[무렵], 주절은 미래완료, 과거완료가 많이 쓰임

Keep in Mind

until, since, before, after 등은 접속사로 쓰기도 하고 전치사로 쓰기도 한다.

I stayed up **until** midnight. 〈전치사〉 나는 자정까지 깨어 있었다.
We waited **until** Jane arrived. 〈접속사〉 우리는 Jane이 도착할 때까지 기다렸다.

01 Racing was halted ______________ the track was repaired.
트랙이 수리되는 동안 경주가 중단되었다.

02 The train had left ______________ they arrived at the station.
그들이 역에 도착하기 전에 기차가 떠나버렸다.

03 I didn't start my meal ______________ 8 o'clock.
나는 8시가 되어서야 식사를 했다.

04 Peter hasn't eaten ______________ breakfast.
Peter는 아침 식사 이후로 아무것도 먹지 않았다.

2) 특징

미래의 의미가 있는 시간 부사절	현재시제 사용
since가 쓰인 부사절	주절의 시제는 현재완료
by the time이 쓰인 부사절	주절의 시제는 과거완료나 미래완료

05 I'll phone you as soon as I ______________ home. (get) 내가 집에 도착하자마자 너에게 전화할게.

06 I ______________ in Rome since I was two. (live) 나는 두 살 때부터 로마에 살고 있다.

07 By the time this letter ______________ you, I will have left the country. (reach)
이 편지가 너에게 도착할 시점에는 나는 이미 시골을 떠나 있을 것이다.

08 By the time the doctor arrived, the patient ______________. (die)
의사가 도착했을 때는 환자는 죽어 있었다.

01 while 02 before 03 until 04 since 05 get 06 have lived 07 reaches 08 had died

4 양보 부사절

1) 종류와 의미

종류	의미
although/as/even though	양보: 비록 ~이지만
while/whereas	대조: 반면에
whether	~이든 아니든
whatever/however 등 wh-ever 종류	아무리 ~이더라도, (wh-ever = no matter wh-)
even though/even if	even if = whether ~ or not: '~이든 아니든' (even though ≠ even if)

01 We intend to go to India ______________ airfares go up again.
항공 요금이 다시 오른다고 해도 우리는 인도로 갈 것이다.

02 He is quiet and shy, ______________ his sister is lively and outgoing.
그는 조용하고 수줍음이 많은 반면, 그의 여동생은 활기차고 외향적이다.

03 ______________ we do, some people will criticize it.
우리가 무엇을 하든 어떤 사람들은 그것을 비판할 것이다.

04 ______________ you go, you can't escape from yourself.
네가 어디를 가든, 자신으로부터 벗어날 수 없다.

05 ______________ what I say to them, I can't keep them quiet.
내가 그들에게 무슨 말을 하든 나는 그들을 조용하게 할 수 없다.

◈ as에 의한 양보

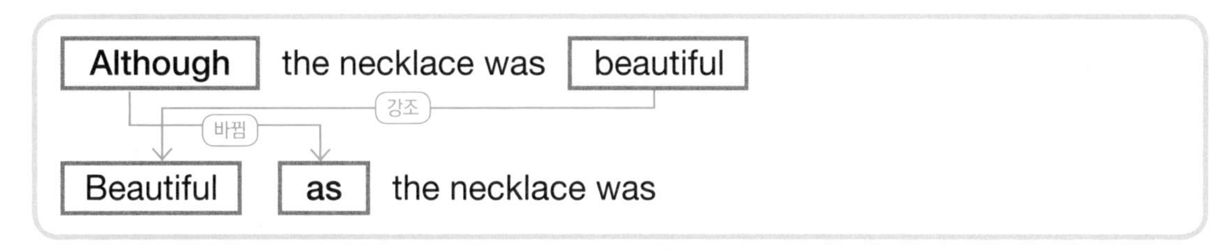

▪ **Although** the necklace was **beautiful**, we thought it was over-priced.
= **Beautiful as** the necklace was, we thought it was over-priced.
목걸이가 아름답기는 하지만 너무 비싸다.

➜ as는 although와 같이 양보를 나타낸다. 어떤 단어를 강조하기 위해 문두로 보내면 although는 as로 바뀌어 강조되는 단어 뒤에 온다.

06 As/Although it sounds unlikely, what I'm telling you is true.
아닌 것 같이 들리지만, 내가 너에게 하는 말은 사실이다.

07 Much as/although I'd like to help, there isn't a lot I can do.
나는 무척 돕고 싶었지만, 내가 할 수 있는 일이 많지 않다.

01 even if[whether or not] 02 while[whereas] 03 Whatever 04 Wherever 05 No matter 06 Although 07 as

5 그 밖의 부사절

1) 종류와 의미

	종류	의미
조건	if/provided/as long as	~라면
	unless	~가 아니라면 (= if ~ not)
이유	because/as/since/now that/seeing that	~때문에
결과	so ~ that/such ~ that	너무 ~해서 ~하다
목적	so that/in order that	~하도록, ~하기 위해서
	in case	~일 경우를 대비해서
	lest ~ (should)	~하지 않도록
방식	as	~처럼, ~이듯이

- I will agree to go **provided that** my expenses are paid. 나의 수당이 지불된다면 나는 떠나는 것에 동의할 것이다.
- I've arrived early **in order that** I will get a good view of the procession.
  나는 그 행렬을 잘 구경하기 위해서 일찍 도착했다.
- The money was repaid, **as** promised. 그 돈은 약속한 대로 상환되었다.

01 The film was ________________ good that I went to see it again.
그 영화는 너무 재미있어서 나는 또 보러 갔다.

02 It was ________________ a beautiful afternoon that we decided to go out for a walk.
너무 아름다운 오후여서 우리는 산책하러 가기로 했다.

03 We'll leave early ________________ that we won't arrive late.
우리는 늦게 도착하지 않도록 일찍 출발할 것이다.

04 I'm taking a raincoat with me ________________ I need it.
나는 필요할 경우를 대비하여 비옷을 가져갈 것이다.

05 I avoided mentioning the subject ________________ he should be offended.
나는 그가 화나지 않도록 그 주제의 언급을 피했다.

06 Just ________________ the French love their wine, the English love their beer.
프랑스인들이 그들의 와인을 좋아하는 것처럼 영국인들은 그들의 맥주를 좋아한다.

Keep in Mind

미래의 의미가 있는 조건부사절은 현재시제를 쓴다.

If it rains tomorrow, I will drop you off at school. 내일 비가 오면 내가 너를 학교까지 태워 줄게.
If it ~~will rain~~ tomorrow, I will drop you off at school. (X)

07 If he ________________, tell him I'll ring back. (call)
그가 전화하면 내가 나중에 전화한다고 전해 줘.

08 You'll fail your exams unless you ________________ harder. (work)
너는 더 열심히 노력하지 않는다면 시험에 떨어질 것이다.

01 so 02 such 03 so[in order] 04 in case 05 lest 06 as 07 calls 08 work

Exercises

Answers / p.03

A 다음 중 알맞은 것을 고르시오.

01 By the time Jen arrives, we will [have finished/finish] this group project.

02 The test was [so/such] easy that everyone got a high score.

03 The referee wears two watches [in case/if] one of them stops.

04 The Owens will move to a new apartment when their baby [will be/is] born.

05 I [lived/have lived] in Seoul since I graduated.

B 다음 두 문장이 같은 뜻이 되도록 빈칸을 알맞은 말로 채우시오.

01 He doesn't care whether they follow or not.
= He doesn't care ____________ ____________ they follow.

02 Sam won't be able to graduate if he doesn't pass all of his courses.
= Sam won't be able to graduate ____________ he passes all of his courses.

03 Although the surgery was successful, the patient didn't get better.
= ____________ the successful surgery, the patient didn't get better.

04 I'll give you a key for you to unlock the door.
= I'll give you a key ____________ ____________ you can unlock the door.

C 다음 주어진 단어를 이용하여 조건에 맞게 영작하시오.

조건 ① 필요 시 단어를 추가 및 변형할 것 ② 시제에 유의할 것

01 수업은 3시가 되어서야 시작되었다. (start, until, 3 p.m.)
→ ____

02 나는 아무리 열심히 노력해도 그들을 납득시킬 수 없었다. (convince, however, hard, try)
→ ____

03 그들이 뭐라고 말하든 나는 그들을 믿지 않는다. (say, believe)
→ ____

04 제가 시험에서 떨어지면 제가 할 수 있는 일이 있나요? (anything, fail)
→ ____

Review Test

[01-10] 다음 중 알맞은 것을 고르시오.

01 [Now that/So that] Beth has a new car, she no longer takes the commuter train to work.

02 I don't expect children to be rude, nor [do I expect/I expect] to be disobeyed.

03 This information will help you understand what changes they are going through and how [you can/can you] soothe the way.

04 The old system was fairly complicated [whereas/despite] the new system is really very simple.

05 I'm calling the doctor, [whether/if] you like it or not.

06 We all waved goodbye to Ted [as/like] he drove away in his car.

07 I don't know [if/that] you can recognize her from here, but the girl reading the newspaper is Susan.

08 I'm not arguing here that investment income is unjust [nor/or] that we should do away with capitalism.

09 A census should be taken every 10 years [so/such] that accurate statistics may be compiled.

10 The southernmost source of the river was not discovered [until/after] 1895.

[11-15] 다음 밑줄 친 부분 중 어법상 틀린 것을 골라 바르게 고치시오.

11 Abortion is ①so a complicated issue ②that you ③cannot easily find ④a solution to it.

12 Jerry ①will not lend you the book ②because he is worried ③about that you will forget ④to return it.

13 ①Some experts ②correctly predicted ③who ④would the next president be.

14 No matter ①however minor ②it is, you are ③supposed to report ④any change.

15 Mr. Morrow ①never smiles at me or ②speaks to me ③despite of many efforts I have made ④to be friendly and neighborly.

[16-20] 다음 빈칸에 들어갈 말로 알맞은 것을 고르시오.

16 ________ method you choose, it will be a difficult operation.

① Which ② What ③ Whichever ④ Whether

17 ________ brilliant you are, you can't know everything.

① No matter ② However ③ How ④ That

18 Many people move to the United States in the belief ________ it is the land of opportunity.

① what ② if ③ that ④ whether

19 ________ you haven't got any money, I'll lend you some.

① Since ② Although ③ So that ④ Unless

20 Accepting deer as part of one's diet depends on ________ information and recipe are distributed by the media.

① why ② while ③ how well ④ if

[21-22] 다음 네모 안에서 알맞은 말을 고르시오.

21 A scientific observer of wildlife must note every detail of how [do animals live/animals live] in their environment: their eating and sleeping habits, their social relationship, and their methods of self-protection.

22 No matter how [unimportant/unimportantly] your action may seem, it makes you start in the right direction. Continue taking action every day and you will start to gain momentum.

23 다음 밑줄 친 우리말을 영어로 가장 잘 옮긴 것을 고르시오.

A: The speed limit is 100 kilometers per hour on the highway, 40 kilometers per hour on residential streets, and 30 kilometers per hour in school zones.

B: Always?

A: Yes, 특별히 다른 표지가 없으면.

① if you see a traffic sign that says otherwise
② unless you don't see a sign for speed limit
③ unless you see a sign that says otherwise
④ if you see a specific traffic sign for speed

24 빈칸 (A)와 (B)에 들어갈 말로 가장 적절한 것끼리 짝지은 것은?

Eyeglasses were invented as long ago as the 1300s. Eyeglasses may seem out of place on a figure painted in the Middle Ages, ___(A)___ at that time glasses were considered the mark of a person of learning, of someone worthy of respect. In 1480 the Italian painter Domenico Ghirlandajo painted a portrait of St. Jerome in which he included eye glasses hanging from the saint's desk. Such a detail is remarkable, ___(B)___ St. Jerome had died over a thousand earlier!

	(A)		(B)
①	but	……	since
②	but	……	that
③	and	……	since
④	and	……	that

01 다음 글의 밑줄 친 부분 중, 어법상 틀린 것은? 기출 변형

Many customers buy products only ① after they become aware that the products are on the market. Let's assume that a product, ② even if it has been out there for a while, is not advertised. Then what could happen? Not knowing ③ what the product exists, customers wouldn't be able to buy it even if the product may have worked for them. Advertising also assists people with finding the best for themselves. When they are made aware of a whole range of goods, they are able to compare them and make purchases ④ in order that they get what they want with their hard-earned money. ⑤ Therefore, advertising has become essential to everybody's daily life.

02 (A), (B), (C)의 각 네모 안에서 어법에 맞는 표현으로 가장 적절한 것은? 기출 변형

Even though he probably was not the first person to do it, an eyeglass maker called Hans Lippershey from Holland gets credit for placing two lenses on either end of a tube in the 17th century and creating a "spyglass." Even then, it was not the Dutchman (A) [yet / but] his children who noticed that the double lenses made a nearby weathervane look greater. These early instruments were not much more than toys (B) [because / because of] their lenses were not strong enough. The first person to turn a spyglass toward the sky was Galileo Galilei, Italian mathematician and professor. Galileo, who heard about the Dutch spyglass and (C) [began / to begin] making his own, realized immediately how useful the device could be to soldiers and sailors. As he made better and better spyglasses, which were later named telescopes, Galileo decided to observe the Moon with one.

*weathervane: 풍향계

	(A)		(B)		(C)
①	yet	……	because	……	began
②	yet	……	because of	……	to begin
③	but	……	because	……	began
④	but	……	because of	……	began
⑤	but	……	because	……	to begin

Let's Recap

1 절과 문장, 접속사

- 절: 「주어+동사+목적어(또는 보어/수식어)」로 이루어진 단위
- 문장: 대문자로 시작하여 마침표(또는 물음표나 느낌표)로 끝나고, 그 속에 하나 이상의 절이 들어 있는 형태
- 접속사: 한 문장에 두 개 이상의 절이 들어 있을 때, 그 절과 절을 연결해 주는 것

모르면 미끄러지는 다빈출 문법 포인트

★ 접속사와 전치사
Although it was raining, we started to play tennis. 〈접속사 뒤에는 절〉
Despite the rain, we started to play tennis. 〈전치사 뒤에는 명사(구)〉

2 등위접속사 vs. 상관접속사

- 등위접속사: and, but, or, yet, so, for, nor 등
- 상관접속사: both ~ and ~, either ~ or ~, neither ~ nor ~, not only ~ but (also) ~, ~ as well as ~ 등

3 명사절

- 명사절은 문장에서 주어, 목적어, 보어 역할을 함
- that절: that+주어+동사
- 간접의문문: 의문사[if/whether]+주어+동사

4 부사절

- 부사절은 문장에서 동사나 절을 수식함
- 부사절은 문장에서 시간, 양보, 조건, 이유, 결과, 목적, 방식 등 다양한 의미를 나타냄

모르면 미끄러지는 다빈출 문법 포인트

★ **간접의문문에서 주어-동사는 평서문의 어순을 따른다.**
I wonder **when** the movie starts. 나는 그 영화가 언제 시작하는지 궁금하다.
I wonder **when** ~~does the movie start~~. (X)

★ **시간, 조건 부사절은 미래 의미일지라도 현재시제를 사용한다.**
I'll call you **when** I arrive. 내가 도착하면 너에게 전화할게.
I'll call you when I ~~will arrive~~. (X)

PART 2 관계사

관계대명사

관계대명사의 종류와 격

선행사	주격	목적격	소유격
사람	who	who(m)	whose
동물/사물	which	which	
사람/동물/사물	that	that	

1 관계대명사 종류의 결정

어떤 종류를 쓸 것인가는 선행사에 의해 결정된다. who는 선행사가 사람일 때 쓰고, which는 선행사가 사물[동물]일 때 쓴다.

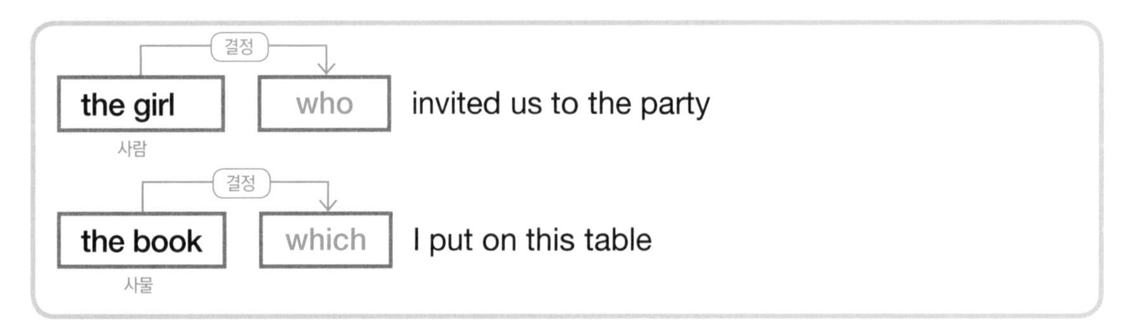

- Marianne is the girl **who invited us to the party.**
  Marianne이 우리를 파티에 초대한 소녀이다.
- Have you seen the book **which I put on this table**?
  내가 테이블 위에 올려놓은 그 책을 본 적이 있니?

01 What was the name of the man ______________ lent you the money?
너에게 돈을 빌려 준 그 사람의 이름이 무엇이었니?

02 Natalie is the student ______________ dropped out of college.
대학을 그만 둔 그 학생이 바로 Natalie다.

03 Where are the eggs ______________ were in the fridge?
냉장고 속에 있었던 달걀들이 어디 갔니?

04 She's working in a shop ______________ sells very expensive clothes.
그 여자는 매우 비싼 옷을 파는 가게에서 근무하고 있다.

01 who 02 who 03 which 04 which

2 관계사절의 형성 과정

관계대명사의 격을 이해하기 위해 관계사절이 형성되는 과정을 이해하는 것이 중요하다. 아래 ①, ②번은 두 문장이 관계대명사를 통해 한 문장으로 변화되는 과정을 보여 준다.

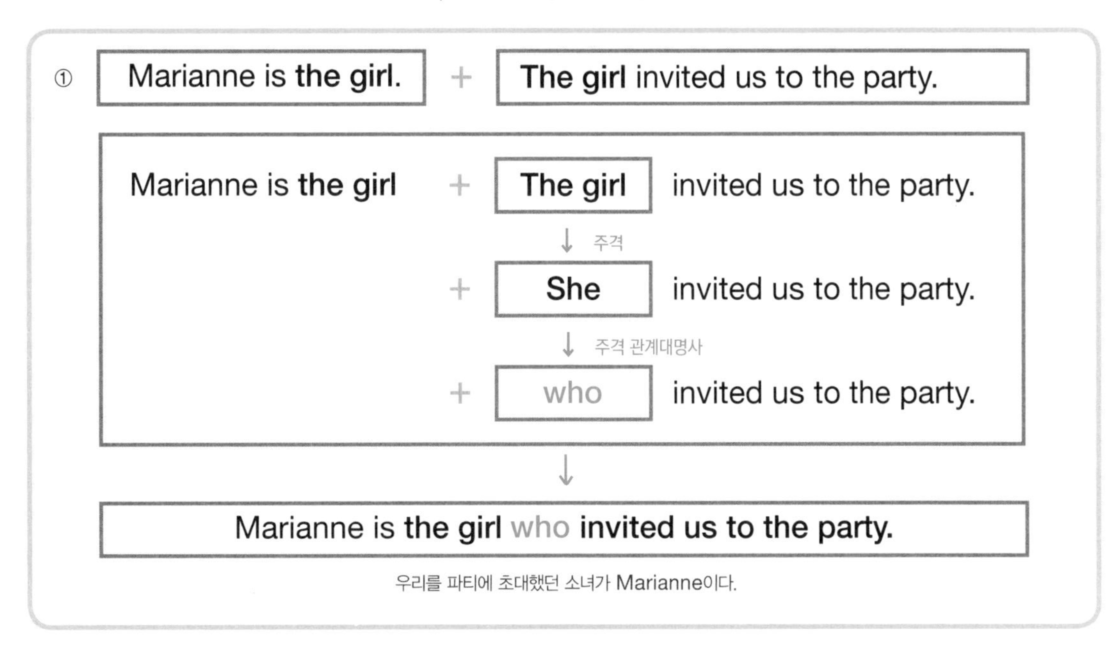

우리를 파티에 초대했던 소녀가 Marianne이다.

②
Marianne is the girl. + We met the girl last night.
Marianne is the girl + We met the girl last night.
목적격
+ We met her last night.
목적격 관계대명사
+ who(m) we met last night.
Marianne is the girl who(m) we met last night.

Marianne은 우리가 지난밤에 만난 소녀이다.

01 Dr. Jones is the professor ________ ________ ________ you about. (whom, tell) Jones 박사가 내가 너에게 말한 교수이다.

02 The people ________ ________ ________ felt grateful to the firefighters. (who, be rescued) 구조된 사람들은 그 소방관들에게 고마움을 느꼈다.

01 whom I told 02 who were rescued

3 관계대명사 격의 결정

▶ 관계대명사는 각 종류별로 주격, 목적격, 소유격이 있다. 어느 격을 쓸 것인지는 관계사절 내부에서 결정된다.

1) 주격, 목적격

▶ 관계사절에서 관계대명사가 주어 역할을 하면 주격을 쓰고, 목적어 역할을 하면 목적격을 쓴다. 사람을 나타내는 목적격 whom 대신에 who를 사용하기도 한다.

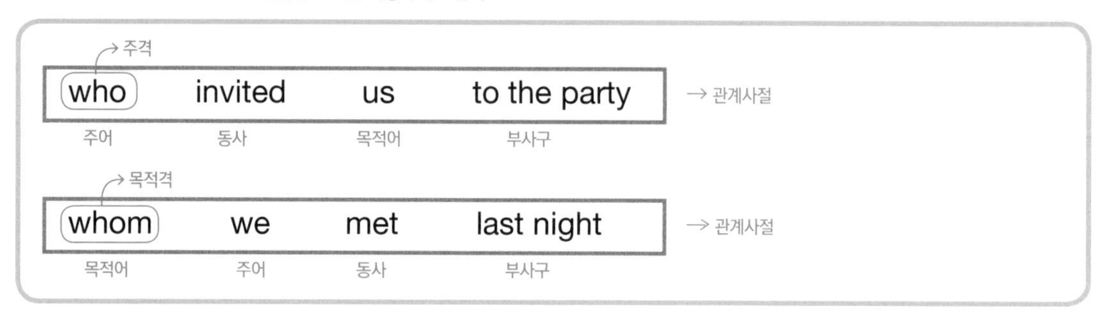

01 John Murray is the man [who/which/whose] owns the Grand Hotel.
그랜드 호텔을 소유한 사람이 John Murray이다.

02 The speech [who/which/whose] we listened to last night was informative.
우리가 어젯밤 들었던 그 연설은 유익했다.

2) 소유격

▶ 소유격은 독립적으로 쓰이지 못하고 항상 명사와 함께 쓰인다. 그리고 이 「소유격+명사」는 하나의 단위가 되어 관계사절 속에서 주어나 목적어 역할을 한다.

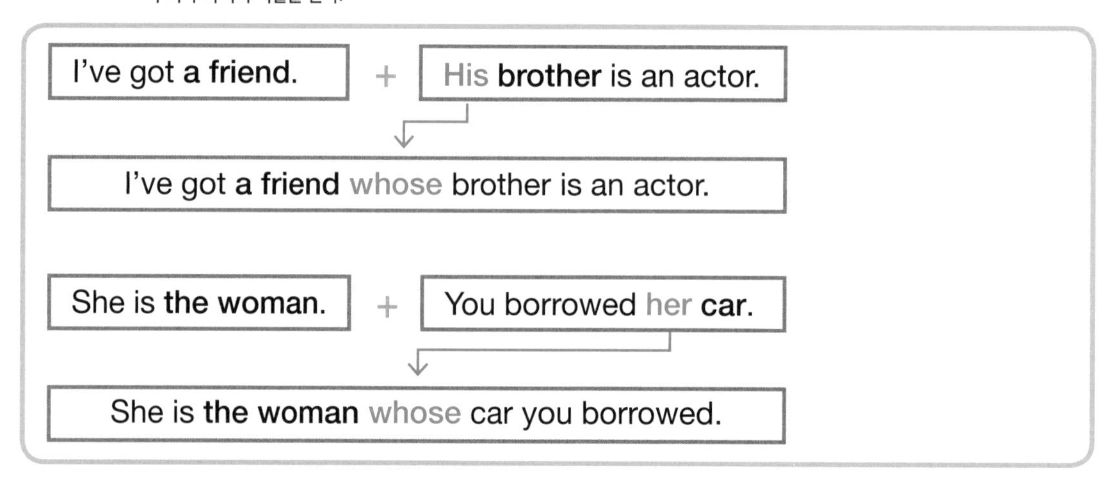

- I've got a friend **whose** brother is an actor.
  나는 형이 배우인 친구가 있다.
- She is the woman **whose** car you borrowed.
  그녀는 네가 빌린 차 주인이다.

03 We need employees [who/which/whose] ideas are innovative and brilliant.
우리는 아이디어가 획기적이고 훌륭한 직원들이 필요합니다.

01 who 02 which 03 whose

4 관계대명사 that ▸관계대명사에는 who, which 이외에 이들을 대신할 수 있는 that이 하나 더 있다.

1) 관계대명사 that = who/which

John Murray is the man **that** owns the Grand Hotel. ⟨that = who⟩
John Murray는 그랜드 호텔을 소유한 사람이다.

Have you seen the book **that** I put on this table? ⟨that = which⟩
너는 내가 테이블 위에 올려놓은 책을 보았니?

01 The woman ________________ Jerry is going to marry is American.
Jerry가 결혼할 여자는 미국인이다.

02 Jake is the man ________________ plays the guitar.
Jake는 기타를 치는 사람이다.

03 The tenant ________________ lived here before us is a novelist.
우리에 앞서 이곳에서 살았던 세입자는 소설가이다.

04 The car ________________ won the race looked very futuristic, didn't it?
그 경주에서 우승한 차는 매우 미래지향적으로 보였어. 그렇지?

05 The student ________________ parents you just met is in one of my classes.
당신이 방금 만났던 부모의 학생이 제 수업 중 하나를 들어요.

2) that이 선호되는 경우 ▸선행사에 all, any(thing), every(thing), little 등의 부정대명사나 최상급, first, last, only 등의 제한적인 말이 올 때에는 that이 더 선호된다.

I lent him all the money **that** I had yesterday.
내가 어제 갖고 있던 모든 돈을 그에게 빌려 주었다.

You are the only person **that** can help me.
너는 나를 도울 수 있는 유일한 사람이다.

3) 관계대명사 that이 쓰일 수 없는 경우 ▸관계대명사 that은 전치사 뒤에서는 절대로 쓰일 수 없다.

That's the town in **which** he was born. (O)
└That's the town in ~~**that**~~ he was born. (X)
저기가 그가 태어난 마을이다.

→ 단 '~라는 점에서'라는 뜻의 'in that'의 표현은 문맥상 잘 파악해야 한다.
He has an advantage over you in that he can speak Chinese.
그는 중국어를 할 수 있다는 점에서 그는 당신보다 유리하다.

01 that[who(m)] 02 that[who] 03 that[who] 04 that[which] 05 whose

5 관계대명사와 수 일치

1) 주격 관계대명사절의 동사와 선행사의 수 일치에 유의한다.

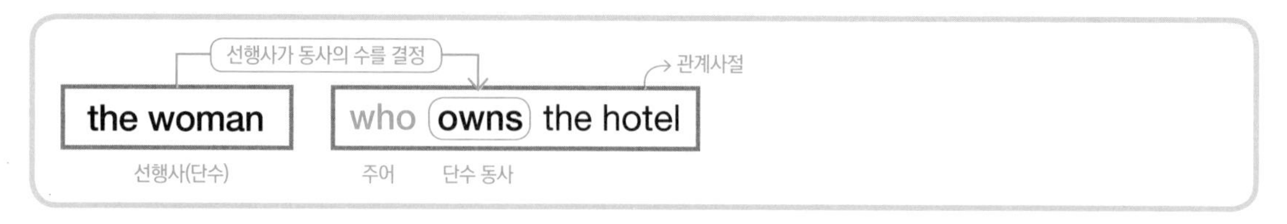

- I spoke to the woman who **owns** the hotel. 〈who = the woman: 단수〉
  나는 그 호텔의 주인인 여자에게 말을 걸었다.

2) 주절 주어가 관계대명사절의 수식을 받아 길어진 경우, 주어와 동사의 수 일치에 유의한다.

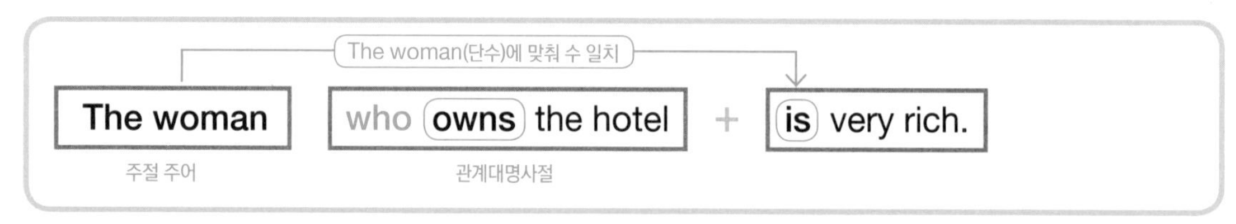

01 The one who never ______________ will not be successful. (study)
공부하지 않는 사람은 성공하지 못한다.

02 You are one of those women who ______________ actively involved in politics. (be)
너는 정치에 적극적으로 참여하는 그런 여자들 중 한 명이다.

03 A person who is shy and quiet usually ______________ nervous when speaking in public. (feel) 수줍음이 많고 조용한 사람은 공개적으로 말을 해야 할 때에 대개 긴장을 한다.

6 관계대명사의 생략 ▶ 관계대명사의 목적격은 대개 생략한다. 또한 「주격 관계대명사+be동사」도 생략될 수 있다.

Marianne is the girl **(whom)** we met last night. 〈목적격: 생략 가능〉

Marianne is the girl **(who is)** sitting at the table. 〈주격 관계대명사+be동사: 생략 가능〉
Marianne은 식탁에 앉아있는 여자아이이다.

◈ 관계대명사가 생략될 수 없는 경우

전치사와 같이 쓰이면 목적격일지라도 생략할 수 없다.

The people **(whom)** I stayed with were very kind. 〈whom은 생략 가능〉

= The people with **whom** I stayed were very kind. 〈여기서 whom은 생략 불가〉
나와 함께 머물렀던 그 사람들은 매우 친절했다.

01 studies 02 are 03 feels

Exercises

Answers / p.05

A 다음 네모 안에서 알맞은 것을 고르시오.

01 The stories [whom/which/whose] Tom tells are usually very funny.

02 Most of the people [which/whose/whom] I invited to the party couldn't come.

03 A dictionary is a book [which/whose/whom] gives you the meanings of words.

04 The other day I met a man [which/whose/whom] sister works in television.

05 Mary teaches students who [needs/need] extra help in geometry.

B 다음 주어진 두 문장을 관계대명사를 이용하여 한 문장으로 만드시오. (단, 밑줄에 유의할 것)

01 The fish was really delicious. We had it for dinner.

→ ______________________________

02 Most of the people are very nice. They work in Peter's office.

→ ______________________________

03 Rex Carter is the farmer. Derek bought his land.

→ ______________________________

04 The jacket is really nice. Melanie wore it at the party.

→ ______________________________

C 다음 우리말을 주어진 단어를 이용하여 조건에 맞게 영작하시오.

조건 ① 필요 시 단어를 추가 및 변형할 것 ② 생략할 수 있는 관계대명사는 괄호 안에 넣을 것

01 그가 강의에서 말했던 요점들을 살펴봅시다. (go through, main point, make, in his lecture)

→ ______________________________

02 우리는 딸이 16세인 여성을 찾고 있어요. (look for, lady, daughter, old)

→ ______________________________

03 그 식탁에 있는 저 상자들은 나의 것이다. (those, table, mine)

→ ______________________________

04 당신이 어젯밤에 찍은 사진들을 나에게 보여 주세요. (show, photo, take)

→ ______________________________

LESSON 02

관계사절의 특성

관계대명사를 포함하고 있는 관계사절만 독립시켜 보면 그 관계사절은 항상 완전한 절이다. 따라서 관계대명사를 빼면 뒤에는 항상 불완전한 절이 온다.

1 동사 확인 ▸관계사절은 절이므로 그 속에는 항상 동사가 들어 있어야 한다.

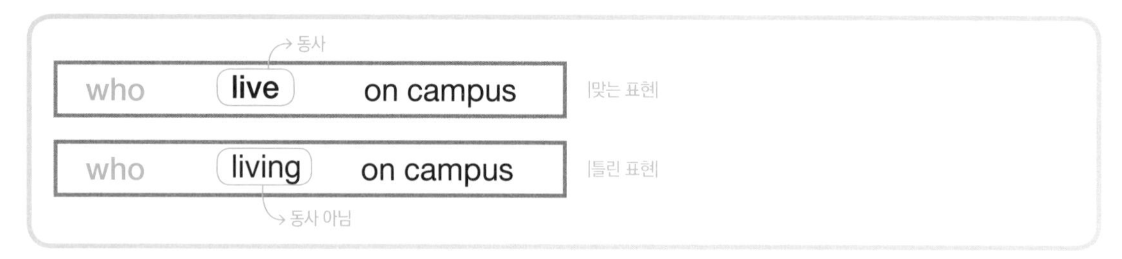

- Students **who live on campus** are close to their classrooms. (O) 캠퍼스에 거주하는 학생들은 교실이 가깝다.
- Students ~~who living~~ on campus are close to their classrooms. (X)
  └Students **living** on campus are close to their classrooms. (O)

2 관계대명사의 역할 ▸관계대명사도 관계사절의 일부이므로, 관계사절은 관계대명사를 포함해야 완전한 절이 된다.

who	invited	us	(to the party)
주어	동사	목적어	(부사구)
whom	we	met	(last night)
목적어	주어	동사	(부사구)

관계사를 포함하여야 완전한 절

3 전치사+관계대명사 ▸관계대명사 앞에 전치사가 쓰이면 그 전치사도 관계사절에 포함된다. 관계사절은 전치사를 포함하여 완전한 절이 되어야 한다.

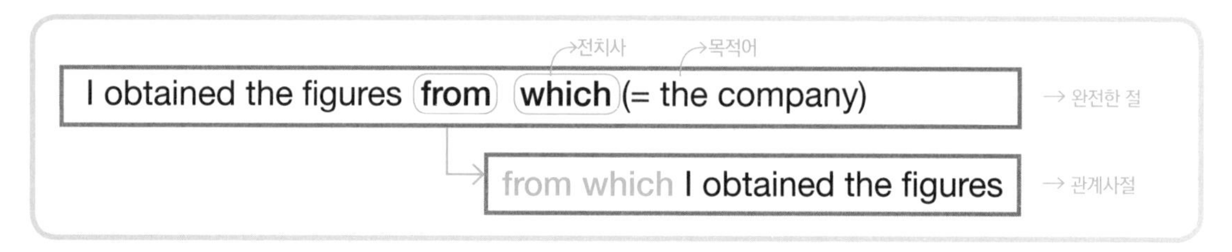

전치사
목적어
I obtained the figures from which (= the company)
→ 완전한 절
from which I obtained the figures
→ 관계사절

- This is **the company**. + I obtained the figures **from the company**.
  → This is **the company from which** I obtained the figures. 이곳이 내가 그 수치들을 얻은 회사이다.

Exercises

Answers / p.05

A 다음 중 알맞은 것을 고르시오.

01 The residents want to change the law that [permitting/permits] parking on the street only in daylight.

02 The lady has something with her which she wishes to [have/have it] donated to the poor.

03 The typhoon that [threatened/threatening] to strike the Indonesian coast has moved away from land.

04 The standards on which the metric system [is based/are based] have been found to be slightly inaccurate.

05 The people [about whom/whom] the novelist wrote were factory workers and their families.

B 다음 중 어법상 틀린 것을 고르시오.

01 ① The museum that we ② wanted to ③ visit it was shut ④ when we got there.

02 He ① ascended ② the few steps ③ that ④ leading to the veranda.

03 The man ① whom I ② sat next to ③ him on the plane never ④ stopped talking.

04 ① A hammer is ② a tool ③ which you ④ hit nails.

05 This is ① a plane ② on which ③ is very crowded ④ with passengers.

C 다음 주어진 단어를 이용하여 조건에 맞게 영작하시오.

조건 ① 필요 시 단어를 추가 및 변형할 것 ② 필요한 경우 관계대명사 앞에 전치사를 쓸 것

01 영어는 26개 글자로 이루어진 알파벳을 가지고 있다. (have, an alphabet, consist of, letter)

→ ______________________________

02 내가 학교에서 뛰어나게 잘하는 과목은 영어이다. (subject, excel, in school)

→ ______________________________

03 내가 예상했던 문제는 곧 발생할 것이다. (expect, will, happen)

→ ______________________________

04 이것이 우리가 이야기해야 하는 하나의 문제이다. (issue, should, talk)

→ ______________________________

LESSON 03

관계사절 vs. 의문사절

1 관계사절의 형태와 역할

모든 관계사절은 항상 「관계사+절」의 모양을 갖는다. 관계사절은 바로 그 앞에 있는 명사 즉, 선행사를 수식하는 형용사 역할을 한다.

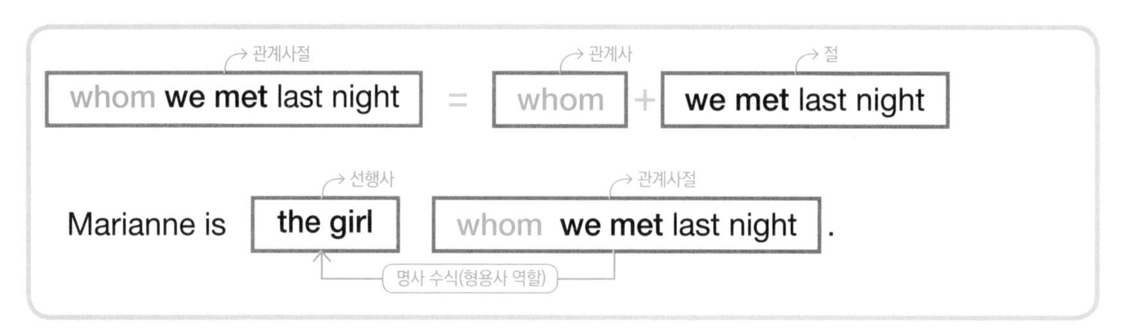

- Marianne is the girl **who(m) we met last night.**
  우리가 어젯밤 만났던 여자가 Marianne이다.
- The man **who teaches us science** is Maggie's father.
  우리에게 과학을 가르치는 남자는 Maggie의 아버지이다.
- Have you found the keys **that you lost**?
  너는 잃어버린 그 열쇠를 찾았니?
- The wallet **which was on this table** has disappeared.
  테이블 위에 있었던 지갑이 사라져 버렸다.
- They went to a restaurant **which Paul had recommended to us.**
  그들은 Paul이 우리에게 추천해 준 식당에 갔다.

2 관계사절과 의문사절의 비교

관계사와 의문사는 서로 비슷하여 그것이 이끄는 관계사절과 의문사절도 서로 비슷해 보인다. 그러나 이 둘은 형태나 역할이 분명 다르기 때문에 반드시 구분해야 한다.

의문사		관계사	
의문대명사	의문부사	관계대명사	관계부사
who(m) whose	where when	who(m) whose	where when
which what	why how	which what that	why that

→ how와 that을 제외하면 관계사와 의문사는 서로 같다.

1) 절 내부 모양은 같다.

2) 절 외부 환경이 다르다.

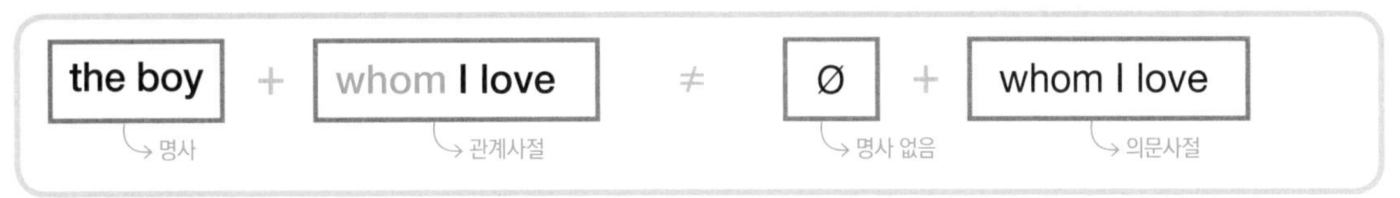

3) 역할이 서로 다르다.

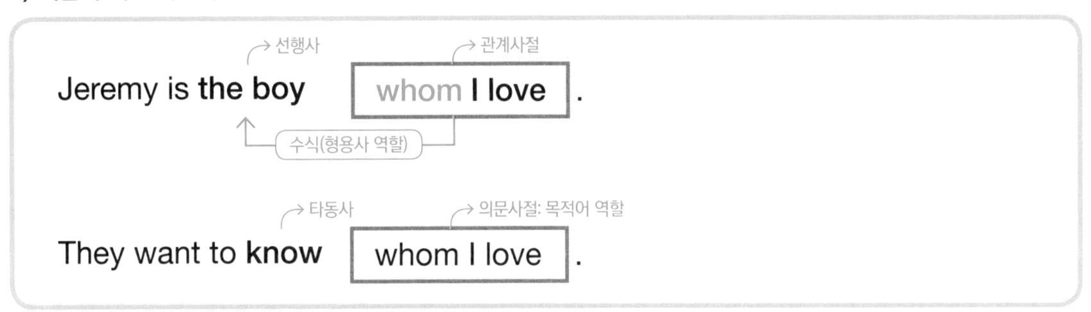

- Jeremy is the boy **whom I love.** 〈관계사절: 관계대명사+S+V〉
  Jeremy는 내가 사랑하는 소년이다.
- They want to know **whom I love.** 〈의문사절: 의문사+S+V〉
  그들은 내가 누구를 사랑하는지 알고 싶어한다.

4) 관계사절은 전체 문장에서 삭제되어도 나머지만으로도 완전한 절이 된다.

Exercises

Answers / p.06

A 다음 중 알맞은 것을 고르시오.

01 The thieves [who stole/stole] paintings from the art gallery have been arrested in Paris.

02 Mom cooked with the food [which/who] I bought at the supermarket.

03 The girl [who/whom] was injured in the accident is now in the hospital.

04 What was the name of the girl [who/whose] passport was stolen?

05 We must look up words [which/whose] meanings we do not know.

B 다음 문장에서 어법상 틀린 부분이 있다면 바르게 고치시오.

01 The paintings which Mr. Flowers has in his house is worth around $100,000.

02 Lasers which are now used in the creation of three-dimensional images.

03 He knows whom I met last night.

04 A woman who she teaches linguistics at the university received an award for her outstanding research.

05 The paintings that are marked with a small red dot having already been sold.

C 다음 우리말을 주어진 단어를 이용하여 조건에 맞게 영작하시오.

조건 ① 필요 시 단어를 추가 및 변형할 것 ② 관계대명사 who나 which를 쓸 것

01 우리 반에 프랑스어를 말하는 학생이 세 명 있다. (there, who, speak)

→ ______________________________

02 이것이 네가 관심이 있었던 기사니? (article, interested in)

→ ______________________________

03 식사값을 지불한 남자는 Tom의 친구이다. (pay for, a friend of Tom's)

→ ______________________________

04 Catherine Smith는 우체국에서 일하는 여자이다. (work, at, post office)

→ ______________________________

05 나는 하늘에 나타난 무지개 사진을 찍었다. (take a picture, have appeared)

→ ______________________________

LESSON 04

관계부사

1 관계부사의 종류와 역할

관계부사의 종류는 where, when, why, that의 네 가지가 있고, 그 역할은 선행사를 수식하는 형용사절의 역할로서 관계대명사의 역할과 같다.

관계부사의 종류

관계부사	where	when	why	that

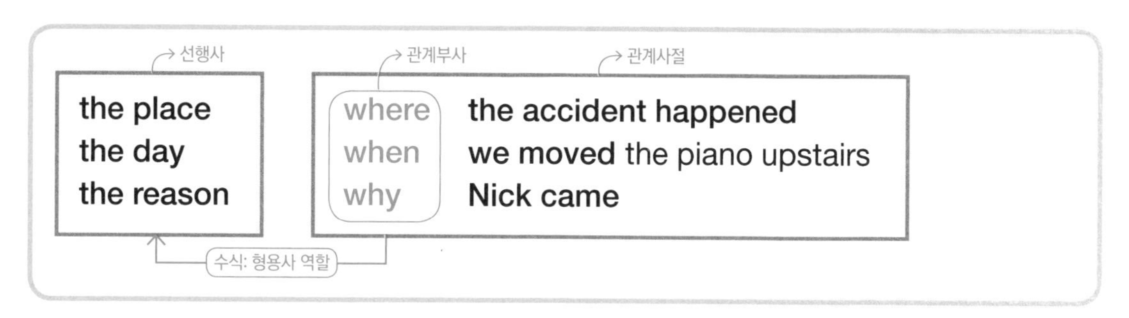

- This is the place **where** the accident happened.
  이곳이 그 사고가 발생한 곳이다.
- Do you remember the day **when** we moved the piano upstairs?
  너는 우리가 그 피아노를 위층으로 옮긴 날을 기억하니?
- The reason **why** Nick came was that he wanted to see Rita.
  Nick이 온 이유는 Rita를 보고 싶기 때문이었다.

◈ 관계부사 that

where보다는 when, why를 대신하며, 주로 생략된다.

Do you remember the day **that[when]** we moved the piano upstairs? 〈that/when은 생략 가능〉
The reason **that[why]** Nick came was that he wanted to see Rita. 〈that/why는 생략 가능〉

01 I recently went back to the town [which/where] I was born.
나는 최근에 내가 태어난 마을로 최근에 다시 갔다.

02 Do you still remember the day [why/when] we first met?
우리가 처음 만났던 날을 아직 기억하니?

03 There is no reason [why/that/when] we should stick to the rules.
우리가 그 규칙을 고수해야 할 이유가 하나도 없다.

01 where 02 when 03 why[that]

2 관계부사 vs. 관계대명사

1) 선행사의 차이

▶ where의 선행사는 장소 명사, when의 선행사는 시간 명사, why의 선행사는 the reason이라는 명사가 온다.

관계부사		관계대명사	
선행사	관계부사	선행사	관계대명사
장소(the place)	where	사람	who
시간(the time)	when	사물/동물	which
이유(the reason)	why	사람/사물/동물	that

2) 관계사절 속 역할의 차이

관계사		관계사절 속에서의 역할
관계대명사	➞	명사 역할
관계부사	➞	부사 역할

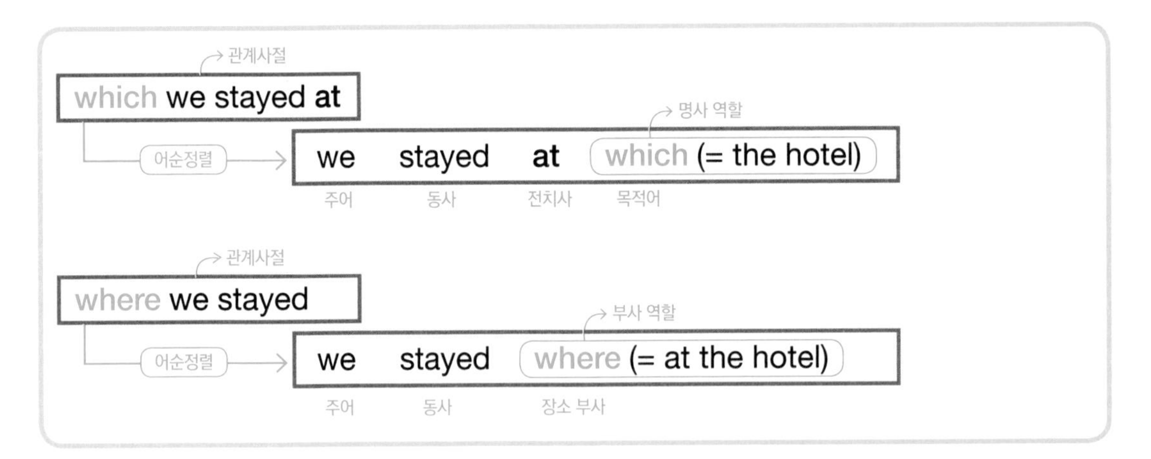

- The hotel **which** we stayed **at** was very small. 우리가 머물렀던 그 호텔은 매우 작았다. 〈관계대명사 which〉
- The hotel **where** we stayed was very small. 〈관계부사 where = 전치사+관계대명사(at+which)〉

how는 관계부사?

how는 그 앞에 선행사 즉, 명사를 쓰지 않는다. 따라서 how는 관계사가 아니라 의문사절을 이끄는 의문사로 보는 것이 옳다. how를 선행사와 함께 쓰면 절대 안 된다. ~~the way how~~ (X)

He explained **how** the system worked. 그는 그 시스템이 작동되는 방식을 설명했다.
He explained **the way** the system worked.

01 That is not [the way how/how] we play the game.
그것은 우리가 게임을 하는 방법이 아니다.

02 This is [the way/the way how] I come home from work.
이것은 내가 직장에서 귀가하는 방법이다.

01 how 02 the way

Exercises

Answers / p.06

A 다음 중 알맞은 것을 고르시오.

01 The week [where/when/why] Mike went camping was the wettest of the year.

02 I don't understand the reason [where/when/why] he was late.

03 This is the place [where/when/why] the accident happened.

04 That's the town in [which/where] my brother was born.

05 That is the church [Ø/where] Ken and Kate got married at.

B 다음 두 문장을 한 문장으로 만들 때 빈칸을 알맞은 말로 채우시오.

01 What's the name of the restaurant? You had lunch there.
→ What's the name of the restaurant ______ ______ ______ ______?

02 Do you know the date? We have to hand in the essay on that date.
→ Do you know the date ______ ______ we have to hand in the essay?

03 There is a reason. I don't want to come to the event for that reason.
→ There is ______ ______ ______ I don't want to come to the event.

04 Give me one good reason. I should hire you for that reason.
→ Give me one good reason ______ ______ I should hire you.

C 다음 주어진 단어를 이용하여 조건에 맞게 영작하시오.

조건 ① 필요 시 단어를 추가 및 변형할 것 ② that을 쓰지 말 것

01 이것은 그녀가 자신의 지갑을 분실한 기차이다. (where, have lost, wallet)
→ ______________________________

02 내가 너에게 전화한 이유는 내 생일 파티에 초대하기 위해서야. (why, be phoning, invite)
→ ______________________________

03 저에게 여행비를 지불할 수 있는 방법을 말해 주세요. (how, pay for the trip)
→ ______________________________

04 Paula는 처음으로 조부모님을 방문했던 날을 기억한다. (remember, when, visit)
→ ______________________________

what절 vs. wh-ever절

관계대명사 what과 wh-ever가 이끄는 관계사절은 선행사가 없고 명사절의 역할을 한다는 점에서 who, which의 관계사절과 다르다. 또한 what절은 명사절, wh-ever절은 명사절 및 부사절로 사용된다.

1 what절의 형태와 역할

what절의 형태는 선행사가 없다는 점에서 다른 관계사절과 다르다. 또한 그 역할도 다른 관계사절과는 달리 명사 역할을 한다.

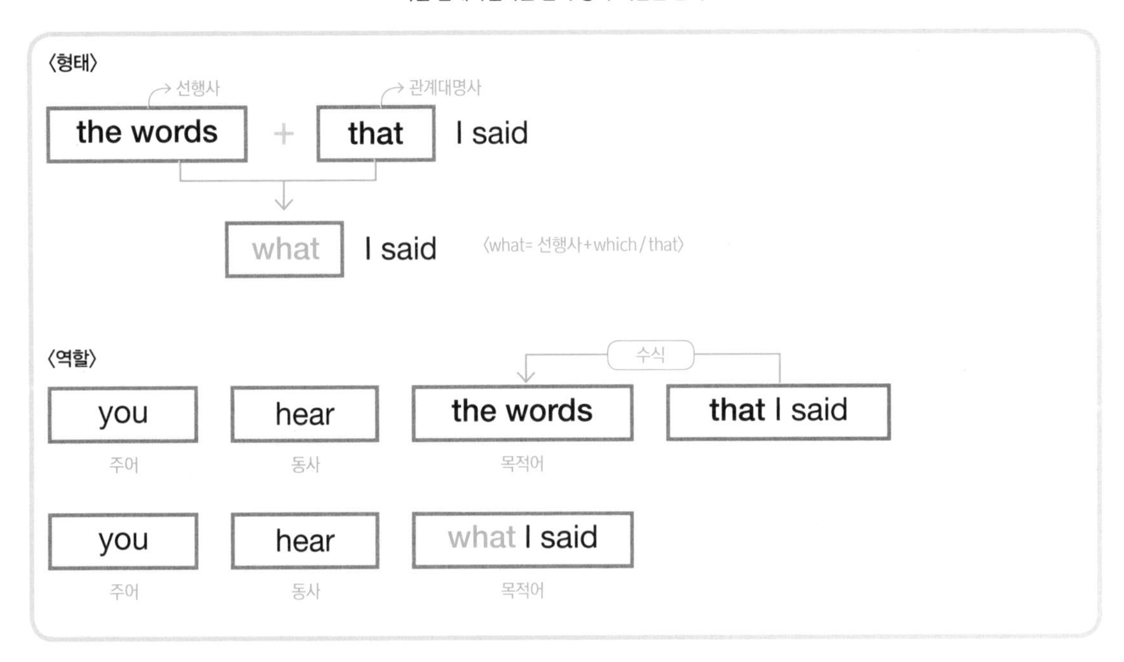

- Did you hear **the words that** I said? 너는 내가 한 말을 들었니? 〈관계대명사 that〉
  → Did you hear **what** I said? 너는 내가 한 말을 들었니? 〈관계대명사 what〉

주어 역할	What **happened yesterday** has nothing to do with Mary. 어제 발생한 일은 Mary와 아무 상관이 없다.
목적어 역할	I believe what **he told me.** 나는 그가 나에게 말한 것을 믿는다.
보어 역할	I could get you a job here if that is what **you want.** 이곳의 일자리가 네가 원하는 것이라면 네게 마련해 줄 수 있는데.

01 The thing [which/what] we saw yesterday gave us quite a shock.
어제 우리가 본 것은 우리에게 큰 충격을 주었다.

02 Show me [which/what] you bought yesterday.
어제 네가 산 것을 나에게 보여 줘.

01 which 02 what

2 what절의 내부 형태

▸ what절도 관계사절이므로 그 내부 모습은 완전한 절이어야 한다.
즉, what도 하나의 품사 역할을 하여 what절의 일부로 쓰인다.

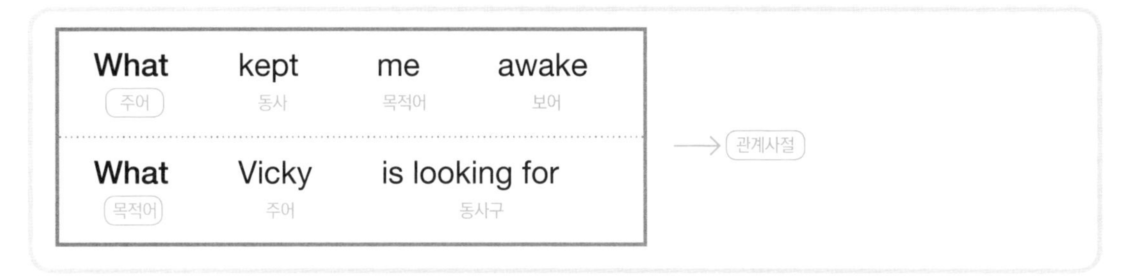

- **What kept me awake** was Rachel's stereo. 〈What = 주어 / What절 = 주어 = 명사절〉
  나를 깨어있도록 한 것은 Rachel의 오디오였다.
- **What Vicky is looking for** is a job in television. 〈What = 목적어 / What절 = 주어 = 명사절〉
  Vicky가 찾고 있는 것은 방송국 직업이다.

01 She tasted what I [bought / bought it].
그녀는 내가 산 것을 맛보았다.

02 No one knows what [that will happen / will happen] next.
다음에 무슨 일이 일어날지는 아무도 모른다.

◈ what+명사

what절에서 what은 대부분 단독으로 쓰이지만 「what+명사」의 형태로 쓰이기도 한다.

She tasted **what** I had bought.
She tasted **what food** I had bought.

→ 첫 번째 what I had bought는 '내가 산 것'이고, 두 번째 what food I had bought는 '내가 산 음식'이다.
what food I had bought는 '조금(a little, a few)'이라는 뜻과 '모두(all)'라는 뜻이 더 들어 있다.
따라서 '그녀는 (적지만) 내가 산 모든 음식을 맛보았다'라는 뜻이 된다.

03 ______________ friends she has are out of the country.
그녀의 (얼마 안 되는) 친구들은 모두 시골에 없다.

04 He collected ______________ information he could find.
그는 (얼마 안 되는) 모을 수 있는 정보는 다 모았다.

Keep in Mind

관계대명사 that과 what 뒤에는 불완전한 절이 나오고, 접속사 that 뒤에는 완전한 절이 나온다.

What I need is a good rest. 내가 필요한 것은 양질의 휴식이다. 〈관계대명사 what + 불완전한 절〉
You are the one **that needs a good rest.** 네가 휴식이 필요한 사람이다. 〈관계대명사 that + 불완전한 절〉
I think **that I need a good rest.** 나는 양질의 휴식이 필요하다고 생각한다. 〈접속사 that + 완전한 절〉

05 [That / What] you said may be true.
네가 말한 것은 사실일 수도 있다.

06 I never said [what / that] I was frightened.
나는 겁을 먹었다고 결코 말하지 않았다.

01 bought 02 will happen 03 What 04 what 05 What 06 that

3 wh-ever절

1) 형태 ▶ whatever, whoever, whichever절은 what절과 그 형태가 같다. 즉, 내부 형태는 완전한 관계사절이고, 외부에는 선행사가 없다.

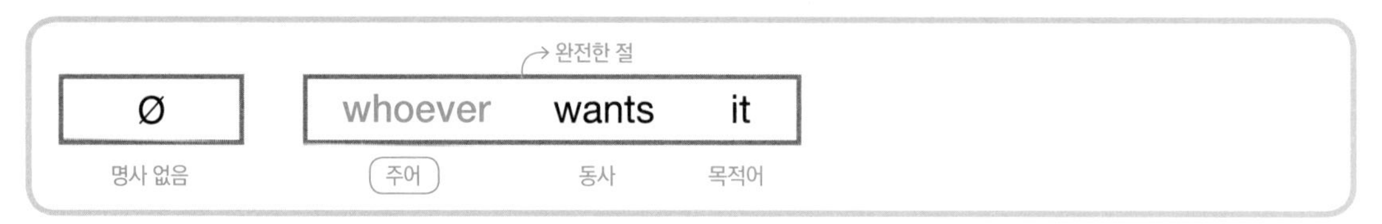

- Lend the book to **whoever wants it.** 그 책을 원하는 사람 누구에게라도 빌려줘라.

  ➜ whoever wants it이 관계사절이다. 그 앞에 선행사가 없고, whoever wants it은 그 자체로 완전하다.

2) 명사절의 역할 ▶ wh-ever절은 명사 역할을 하고, '~는 어느 것이든 모두'로 해석한다.

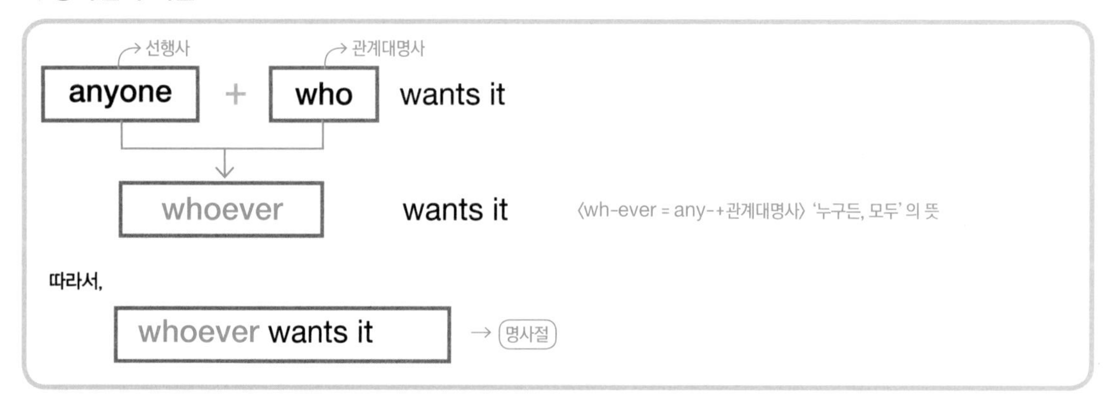

- Lend the book to **whoever wants it.** ⟨-ever 관계사절⟩

  └ Lend the book to anyone **who wants it.** ⟨any-+관계사절⟩

  ➜ whoever wants it은 명사절로서 문장 전체에서 to의 목적어로 쓰였다.

01 You should speak to ________________ deals with complaints.
너는 누구든 불만을 처리하는 사람과 이야기해야 한다.

02 ________________ comes in first will receive a prize.
누구든 먼저 들어오는 사람이 상을 받을 것이다.

03 Give me back ________________ you took from my desk.
내 책상에서 가져간 것은 모두 돌려줘.

01 whoever 02 Whoever 03 whatever

3) 부사절의 역할 ▶ wh-ever절은 부사 역할도 하며, '아무리 ~하더라도'로 해석한다.

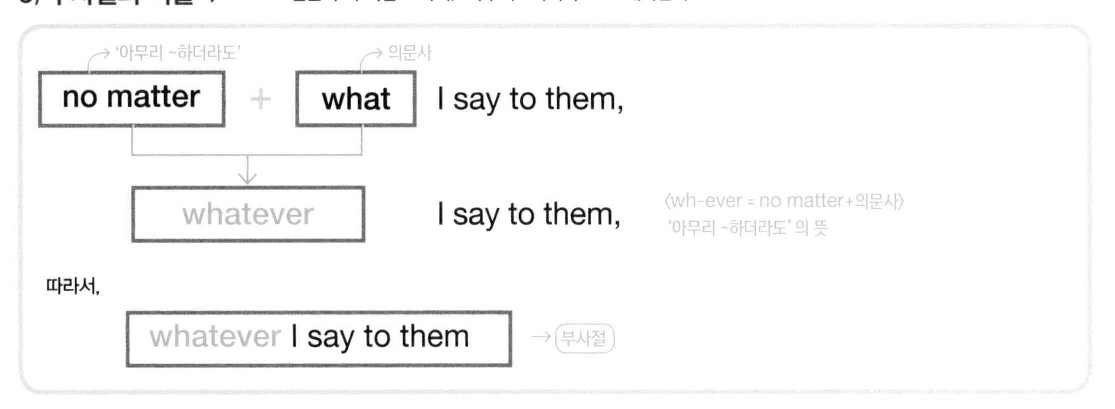

- **Whatever I say to them**, I can't keep them quiet. 〈부사절〉
  나는 그들에게 무슨 말을 해도 그들을 조용하게 유지시킬 수가 없다.
- **Whatever I say to them** is taken seriously. 〈명사절〉
  내가 그들에게 하는 말은 모두 진지하게 받아들여진다.

➜ 첫 번째 문장의 whatever I say to them은 부사절이다. 뒤에 I can't ~ quiet가 완전한 절로서 주절로 쓰였기 때문이다. 두 번째 문장의 whatever I say to them은 전체 문장에서 주어로 쓰였으므로 명사절이다. 부사절은 양보를 나타내어 '아무리 ~하더라도'로 해석하고, 명사절은 '~하는 것[사람]은 무엇이든지[누구든지]'의 의미를 갖는다.

01 Don't let them in, ________________ they are. 〈부사절〉
그들이 누구이든 간에 들여보내지 마라.

02 I'll take ________________ wants to go. 〈명사절〉
가고 싶은 사람은 누구든 데려갈 것이다.

◈ whomever vs. whoever

Lend the book to **whoever wants it**. (O)
Lend the book to ~~**whomever**~~ **wants** it. (X)

➜ 관계대명사의 격은 관계사절 내부에서 결정된다. whoever wants it이 관계사절이고 이 속에서 whoever는 wants의 주어이다. 그래서 주격인 whoever가 쓰였다. whoever가 전치사 to 뒤에 쓰였다고 해서 목적격인 whomever를 써서는 안 된다. to의 목적어는 whomever가 아니라 whoever wants it 전체이다.

01 whoever 02 whoever

Exercises

Answers / p.07

A 다음 두 문장이 같은 뜻이 되도록 빈칸에 알맞은 말을 넣으시오.

01 It's the question that I've been asking for many years.
= The question is ______________ I've been asking for many years.

02 I won't tell anyone the thing ______________ happened.
= I won't tell anyone what happened.

03 I don't envy anyone who buys that house. It's in a terrible condition.
= I don't envy ______________ buys that house. It's in a terrible condition.

04 Why do you blame me for everything that goes wrong?
= Why do you blame me for ______________ goes wrong?

B 다음 중 어법상 틀린 것을 고르시오.

01 Norman ① will do ② that ③ is required ④ to succeed.

02 ① Which Bob ② recommended ③ at the restaurant ④ was too expensive.

03 I ① gave ② my brother the little bookcase ③ what I bought ④ a few months ago.

04 ① Now that I ② no longer ③ have to wear a school uniform, I'll be able to wear ④ which I want.

05 ① That rich woman ② offered a reward ③ to whomever ④ should restore her lost car.

C 다음 주어진 단어를 이용하여 조건에 맞게 영작하시오.

조건 ① 필요 시 단어를 추가 및 변형할 것 ② 관계사는 생략하지 말 것

01 그가 보았던 것이 그를 화나게 했다. (what, see, make, upset)

→ ______________________________

02 그녀는 자신의 아이들에게 그들이 원하는 모든 것을 준다. (everything, that, want)

→ ______________________________

03 이것에 책임이 있는 사람은 누구든 처벌을 받을 것이다. (responsible for, be punished)

→ ______________________________

04 나는 네가 요리하는 것은 무엇이든지 즐겨 먹는다. (enjoy, eat, cook)

→ ______________________________

LESSON 06

한정적 vs. 계속적 쓰임

1 형태와 의미

관계사절 앞에 콤마가 없으면 한정적으로 쓰이고, 콤마가 있으면 계속적인 용법으로 쓰인다. 한정적 쓰임은 선행사를 한정 · 제한하고, 계속적 쓰임은 선행사를 보충 설명한다. 계속적 쓰임에는 관계대명사 that을 사용할 수 없고 대신 which를 쓴다.

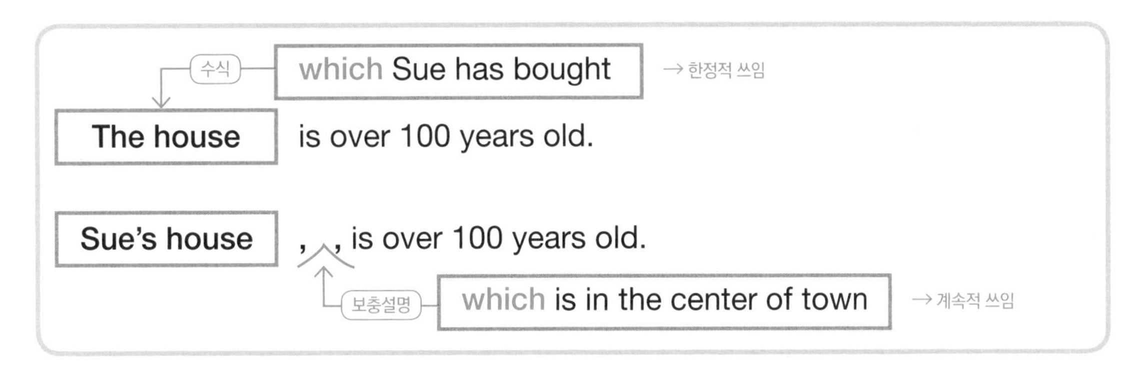

- The house **which Sue has bought** is over 100 years old.
  Sue가 산 그 집은 100년 이상 되었다.
- Sue's house, **which is in the center of town,** is over 100 years old.
  Sue의 집은 마을 중심에 있는데 100년이 넘었다.

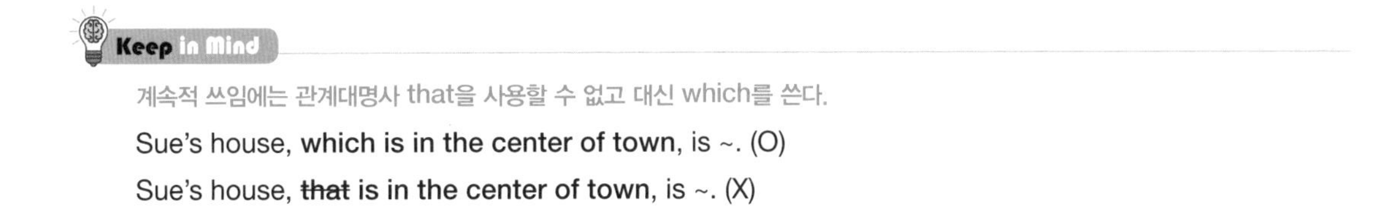
Keep in Mind

계속적 쓰임에는 관계대명사 that을 사용할 수 없고 대신 which를 쓴다.

Sue's house, **which is in the center of town**, is ~. (O)

Sue's house, ~~that~~ **is in the center of town**, is ~. (X)

01 Ken's mother, [that / who] is 69, has just passed the driving test.
Ken의 어머니는 69살인데 운전면허 시험에 통과했다.

02 We're going on holiday in September, [when / that] the weather isn't so hot.
우리는 9월에 휴가를 갈 것인데, 그때에는 날씨가 그렇게 덥지 않다.

03 My uncle John, [who / that] lives in Manchester, is coming to visit me next week.
우리 삼촌 John은 맨체스터에 사시는데, 다음 주에 나를 방문하러 오실 것이다.

04 We went to [the Riverside Restaurant, where / the Riverside Restaurant where] I once had lunch with Henry.
우리는 리버사이드 음식점에 갔는데, 그곳은 내가 전에 Henry와 점심을 함께 먹었던 곳이다.

01 who 02 when 03 who 04 the Riverside Restaurant, where

2 계속적 쓰임의 특징

1) 특별한 선행사 ▶관계대명사의 계속적 쓰임의 선행사는 고유명사, 앞 절 전체 등 특별한 것이 주로 쓰인다.

Last weekend I met Sue, **who** told me she was going on holiday soon. 〈고유명사〉
지난 주말에 나는 Sue를 만났는데, Sue는 곧 휴가를 갈 거라고 말했다.

They are fond of snakes and lizards, **which** surprised me. 〈앞 절 전체〉
그들은 뱀과 도마뱀을 좋아하는데, 그것에 대해 나는 깜짝 놀랐다.

Keep in Mind

선행사가 앞 절 전체일 때 관계대명사는 which만 쓴다.

They are fond of snakes and lizards, **which** surprised me. (O)

They are fond of snakes and lizards, ~~**that**~~ surprised me. (X)

2) Some of which 등의 표현 ▶some of whom, much of which, all of which, many of whom 등의 표현이 자주 쓰인다.

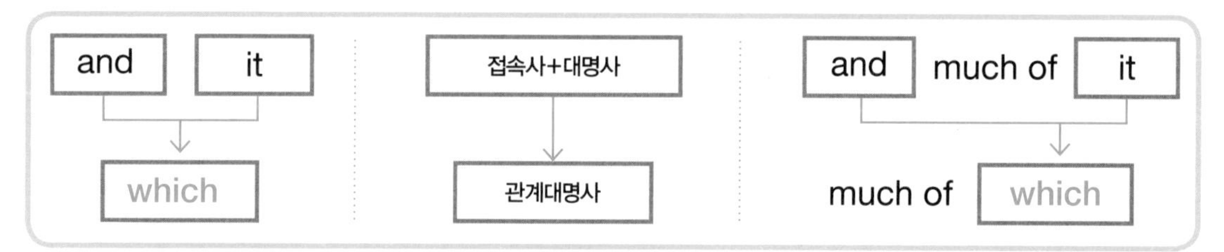

- He gave me a lot of advice, **and it** was very useful.
  = He gave me a lot of advice, **which** was very useful.
  그는 나에게 많은 조언을 했고, 그것은 (모두) 매우 유용했다.

- He gave me a lot of advice, **and much of it** was very useful.
  = He gave me a lot of advice, **much of which** was very useful.
  그는 나에게 많은 조언을 했고, 그것의 대부분은 매우 유용했다.

01 A number of my friends, [some of them / some of whom] you've met before, will be at the party.
나의 많은 친구들 – 그들 중 일부는 네가 전에 만난 적이 있다 – 이 파티에 올 것이다.

02 Both players, [neither of whom / neither of them] reached the final, played well.
그 두 명의 선수들 – 아무도 결승에 진출하지 못했다 – 은 시합을 잘했다.

01 some of whom 02 neither of whom

Exercises

Answers / p.07

A 다음 중 알맞은 것을 고르시오.

01 [Tom's father, who / Tom's father who] is 78, goes swimming every day.

02 She told me her address, [that / which] I wrote down on a piece of paper.

03 The strike at the car factory, [which / it] lasted ten days, is now over.

04 He tried on three jackets, [none of them / none of which] fitted him.

05 She couldn't come to the party, [what / which] was a pity.

B 다음 주어진 두 문장을 보기와 같이 관계대명사를 이용하여 한 문장으로 만드시오.

보기 He lost his way. That delayed him very much.
→ He lost his way, which delayed him very much.

01 Mr. Hogg is going to Canada. That made his mom feel sad.

→ ______

02 I have four brothers. Three of them are professional athletes.

→ ______

03 Tom made a number of suggestions. Most of them were very helpful.

→ ______

04 Tina Harris is a good friend of mine. Her brother is the actor Paul Harris.

→ ______

C 다음 주어진 단어를 이용하여 조건에 맞게 영작하시오.

조건 ① 필요 시 단어를 추가 및 변형할 것 ② 계속적 쓰임의 관계대명사를 사용할 것

01 Ann은 광고사 일자리를 그만두었는데, 이는 모두를 놀라게 했다. (quit, at the advertising agency, surprise)

→ ______

02 기원이 알려지지 않은 이 축제는 국가적인 행사가 되었다. (origin, unknown, have become, national event)

→ ______

03 Jack은 세 명의 형들이 있는데, 모두 결혼했다. (all, be married)

→ ______

04 Norman은 3만 달러를 벌었는데, 그중 반은 부모님께 드렸다. (win, $30,000, half)

→ ______

Review Test

[01-10] 다음 중 알맞은 것을 고르시오.

01 He arrived half an hour late, [which/that] annoyed us very much.

02 [Simon Bolivar, who/Simon Bolivar who] was a great South American general, led the fight for independence early in the 19th century.

03 Tom has a lot of friends, [many of whom/many of them] he went to school with.

04 What angered me was the way [that/how] they treated him.

05 They had to use [what/whose] money they had.

06 I want to speak to [whoever/whomever] answers the phone.

07 This restaurant is very expensive, but order [whatever/which] you want. Your birthday is a very special occasion.

08 I am not going to buy anything in this store. They don't have [what/that] I need.

09 A pedometer is an instrument that [measure/measures] the distance a person walks.

10 I don't agree with [which/what] you've just said.

[11-15] 다음 밑줄 친 부분 중 어법상 틀린 것을 골라 바르게 고치시오.

11 The author ①thoroughly ②understood the society where she ③had grown up ④in.

12 ①That is the day ②which the space flight to Mars ③is scheduled ④to leave.

13 We need ①to learn ②from companies ③who trading is ④more healthy than our own.

14 Humus, a ①substance found in soil, enables plant roots ②to send out tiny hairs through ③that ④they absorb water and food.

15 ①That the WHO fears most is ②that the virus could mutate ③if it infected a person sick ④with ordinary flu.

[16-20] 다음 빈칸에 들어갈 말로 알맞은 것을 고르시오.

16 Tom is always interrupting me, ______________ makes me mad.

① which ② who ③ why ④ that

17 The college does not grant degrees simply to ______________ pays the cost of tuition; the student must satisfy the academic requirements.

① whoever ② whom ③ whomever ④ whoever that

18 Is this the address to ______________ you want the package sent?

① where ② that ③ which ④ whom

19 Jerry is engaged in a several business ventures, only ______________ is profitable.

① one of them ② one of that ③ one ④ one of which

20 He went up the mountain with a group of people, ______________ were correctly equipped for such a climb.

① some of them ② few of whom ③ those who ④ many of those

21 다음 밑줄 친 부분 중 어법상 틀린 것을 찾아 바르게 고치시오.

In America, there are lots of people ① who don't get enough food to eat. Some of these people are children. There are over 3 million kids in the Unites States ② whose families don't have enough food. Children ③ who dealing with hunger pains have trouble paying attention in school.

22 다음 [ ] 안의 단어를 문맥에 맞도록 알맞은 어순으로 배열하시오.

Those who enjoyed Jackie Chan's movies got interested in kung fu and other martial arts. The term "martial arts" popularly refers to a large variety of fighting sports, [of/most/which] originated in the Far East.

*martial art: 무술

[23-24] 다음 네모 안에서 알맞은 말을 고르시오.

23 The Mayan Indians were intelligent, culturally rich people [who achieved/whose achievements] were many. They had farms, beautiful palaces, and cities with many buildings.

24 Like most of William Shakespeare's plays, *Romeo and Juliet* is based on earlier sources, [that/which] in this case go back to some stories popular in Italy in the late 1400s. These stories were transformed into a poem in English by a poet named Brooke. Today Brooke's poem has been forgotten, but Shakespeare's play lives on. [What/That] makes Shakespeare's play live is its dramatic power and its remarkable language.

01 다음 글의 밑줄 친 부분 중, 어법상 <u>틀린</u> 것은? 기출 변형

Take time to read the comics. This is worthwhile not just ① <u>because</u> they will make you happy but because they show wisdom about the nature of life. I read *Charlie Brown* and *Blondie* every morning, and they help me start the day with a smile. When you read the comics section of the newspaper, cut out a cartoon ② <u>that</u> makes you laugh. Put it up ③ <u>wherever</u> it is needed most, such as on your fridge or at work—so that whenever you see it, you will smile and feel your spirit lifted. Share your favorite cartoon with your friends and family so everyone can get a good laugh as well. Take your comics with you ④ <u>when</u> you go to visit someone in the hospital ⑤ <u>which</u> could really use a good laugh.

02 (A), (B), (C)의 각 네모 안에서 어법에 맞는 표현으로 가장 적절한 것은? 기출 변형

Cutting costs can boost profitability but not completely. If the manufacturer cuts costs so deeply that doing so harms the product's quality, then the increased profitability won't last long. A better approach is to improve productivity. If businesses can get more production from the same number of employees, they're basically tapping into free money. They get more product (A) [that/whom] they can sell, and the price of each product falls. As long as the machinery or employee training (B) [needed/is needed] for productivity improvements costs less than the value of the productivity gains, it's an easy investment for any business to make. Productivity improvements are important not only to the economy but also to the individual business (C) [what/that] is making them. Productivity improvements generally raise the standard of living for everyone and are a good indication of a healthy economy.

	(A)		(B)		(C)
①	that	......	needed	......	what
②	whom	......	needed	......	that
③	that	......	needed	......	that
④	whom	......	is needed	......	what
⑤	that	......	is needed	......	what

Let's Recap

1 의문사 vs. 관계사

▸ how와 that을 제외하면 관계사와 의문사는 서로 같다. 하지만 쓰이는 역할이나 상황이 다르니 꼭 구분하자!

의문사		관계사	
의문대명사	의문부사	관계대명사	관계부사
who(m) whose which what	where when why how	who(m) whose which what that	where when why that

2 관계대명사의 종류와 격 ▸ 생략 가능: 목적격 관계대명사, 「주격관계대명사+be동사」

종류	주격	목적격	소유격
사람+who	who	who(m)	whose
사물/동물+which	which	which	
사람/사물/동물+that	that	that	

3 관계부사

관계부사의 종류	where	when	why	that

▸ 관계부사에는 where, when, why, that 네 가지가 있다.

▸ how는 앞에 선행사가 나오지 않는 의문사로 보아 the way how를 붙여서 쓰지 않아야 한다. 따라서 the way나 how 하나만 써야 한다.

4 관계대명사 vs. 관계부사

1) 관계대명사는 관계사절 속에서 명사 역할을 하고, 관계부사는 부사 역할을 한다.

관계사		관계사절 속에서의 역할
관계대명사	→	명사 역할
관계부사	→	부사 역할

2) 관계부사는 선행사가 다르다.

▸ where의 선행사는 장소 명사, when의 선행사는 시간 명사, why의 선행사는 the reason이라는 명사가 온다.

PART 3
기타 구문

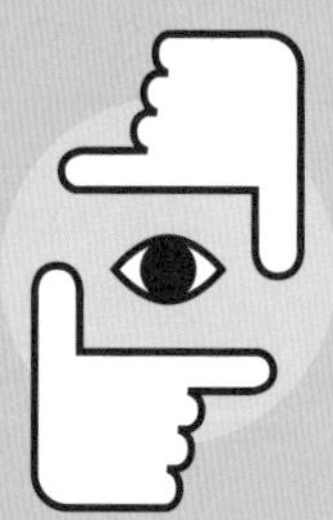

LESSON 01

시험에 꼭 나오는 〈일치〉

1 일치란? ▸ 일치는 주로 주어와 동사의 수 일치를 말한다. 따라서 주어가 단수인지 복수인지를 구별하는 것이 일치의 핵심이다.

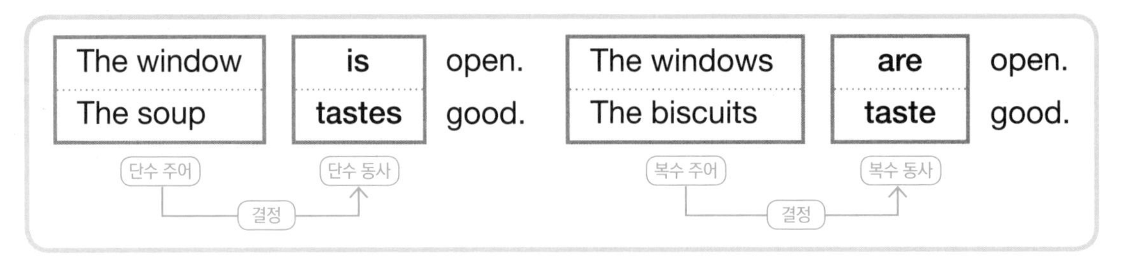

단수 주어	복수 주어
The window **is** open. 창문이 열려 있다. The soup **tastes** good. 그 수프는 맛이 좋다.	The windows **are** open. 창문들이 열려 있다. The biscuits **taste** good. 그 과자들은 맛이 좋다.

2 일반명사 ▸ 불가산 명사와 가산 명사의 단수형은 단수 취급하고, 가산 명사의 복수형은 복수 취급한다.

The news from the Middle East **seems** very encouraging. 불가산 명사 → 단수 취급
중동에서 온 그 뉴스는 매우 고무적이다.

My daughter **watches** television after supper. 가산 명사 단수 → 단수 취급
내 딸은 저녁 식사 후 TV를 본다.

My daughters **watch** television after supper. 가산 명사 복수 → 복수 취급
내 딸들은 저녁 식사 후 TV를 본다.

	주의해야 할 명사들			
단수 취급 (학문 · 병 · 국가 · 간행물 · 놀이 이름 등)	mathematics measles	economics statistics	physics politics	linguistics news
복수 취급	people trousers scissors	cattle pants binoculars	staff clothes	the police glasses
단수 = 복수	means fish	species sheep	series deer	salmon craft

01 Politics ______________ popular at this university. (be)
정치학은 이 대학에서 인기가 있다.

02 All means ______________ been used to get him to change his mind. (have)
그의 생각을 바꾸게 하기 위해 모든 수단이 사용되었다.

03 One means ______________ still to be tried. (be)
한 가지 수단이 아직 남아 있다.

01 is 02 have 03 is

① 예외: statistics와 politics를 복수 취급할 때

Statistics are able to prove anything you want them to.
통계 자료는 당신이 원하는 것은 어떤 것이든 입증할 수 있다.

statistics가 '통계자료', politics가 '정치적 신념'을 뜻할 때에는 복수 취급한다.

② 정확한 주어 찾기: 삽입구(절)로 인해 주어가 길어진 경우, 주어와 동사의 수 일치에 주의해야 한다.

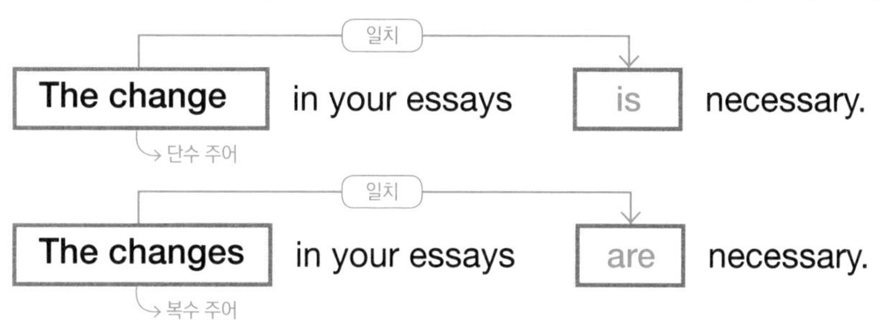

너의 에세이 중 그 수정[수정들]은 불가피하다.

01 The girl dancing on the stage _______________ my cousin. (be)
무대 위에서 춤추고 소녀는 내 친척이다.

02 The cats sleeping under the sofa _______________ very cute. (be)
소파 밑에서 자는 고양이들은 매우 귀엽다.

3 특이한 명사

1) 수+단위 ▸복수 단위는 그 모양은 복수형이나 자체가 하나의 완전한 단위를 이루므로 단수 취급한다.

수+단위 → 단수 취급	
(three) weeks / years ... (시간/세월)	(ten) dollars / pounds (돈/액수)
(forty) miles / meters ... (거리)	(ninety) kilos / pounds (무게)

03 Ten dollars _______________ all I have left. (be)
10달러가 내가 남긴 전부이다.

04 Forty miles _______________ a long way to walk in a day. (be)
40마일은 하루 만에 걷기에는 먼 거리이다.

05 Three weeks _______________ a long time to wait for an answer. (be)
3주는 대답을 기다리기에는 긴 시간이다.

01 is 02 are 03 is 04 is 05 is

2) 분수/소수+명사 ▶ 분수/소수 뒤에는 단수 명사도 오고, 복수 명사도 온다. 이때 분수/소수에 상관없이 단수 명사가 나오면 단수 동사를, 복수 명사가 나오면 복수 동사를 쓴다.

분수/소수+명사 → 단수 명사면 단수 동사, 복수 명사면 복수 동사		
the rest of ~의 나머지	part of ~의 부분	half of ~의 반
(70) percent of ~의 (70)%	a third of [three-fourths of] ~의 1/3[~의 3/4]	

01 The rest of those biscuits ______________ in the tin. (be)
그 과자들의 나머지는 통 속에 있다.

02 About 50 percent of the houses ______________ major repairs. (need)
그 주택들의 약 50퍼센트는 큰 수리가 필요하다.

03 Three fourths of the pizza ______________ already been eaten. (have)
그 피자의 4분의 3을 벌써 먹었다.

04 Almost half of all road accidents ______________ caused by drunkenness. (be)
모든 도로 교통사고의 거의 절반은 음주 때문에 생겨난다.

3) 외래어

중요한 외래어의 단수/복수형		
datum – data 자료, 정보	criterion – criteria 평가 기준	thesis – theses 논문
crisis – crises 위기	bacterium – bacteria 박테리아	hypothesis - hypotheses 가설
oasis – oases 오아시스	curriculum – curricula 커리큘럼	phenomenon – phenomena 현상
medium – media 매체	stimulus – stimuli 자극	memorandum – memoranda 메모

05 The mass media ______________ radio, television, newspapers, magazines, and the Internet. (include) 대중 매체는 라디오, TV, 신문, 잡지 그리고 인터넷을 포함한다.

4) the+형용사 ▶ 「정관사(the)+형용사」의 형식은 '~인 사람들'의 뜻을 가지며 복수 취급한다.

the+형용사 → 복수 취급(형용사+people)			
the Japanese	the Chinese	the English	the rich [wealthy]
the poor	the deaf	the blind	the handicapped

06 The English ______________ friendly people. (be)
영국인들은 친절하다.

01 are 02 need 03 has 04 are 05 include 06 are

4 집합명사

집합 개념의 명사는 단수와 복수 모두로 취급된다. 하나의 단위나 규모로 간주될 때에는 단수 취급하고, 그 단위를 구성하는 사람들로 간주될 때에는 복수 취급한다.

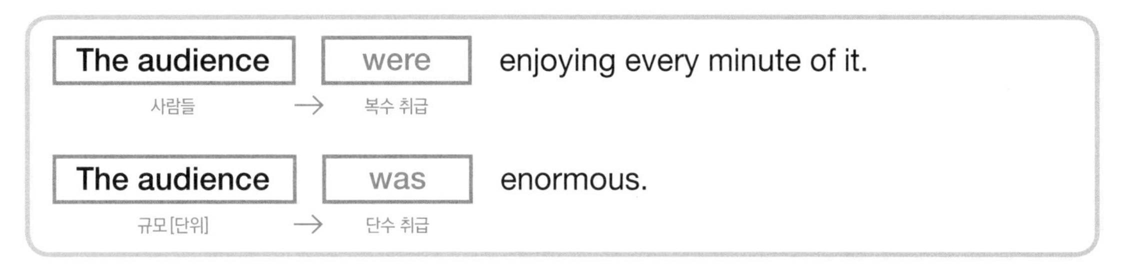

The audience
were
enjoying every minute of it.
사람들
복수 취급
The audience
was
enormous.
규모[단위]
단수 취급

- The audience **were** enjoying every minute of it.
  청중은 매 순간 즐거워했다.
- The audience **was** enormous.
  청중은 대규모였다.

집합명사들			
administration 정부, 행정	audience 청중	committee 위원회	staff 직원
family 가족	jury 배심원	team 팀	youth 젊은이

01 Our staff ________________ on Monday mornings for a weekly discussion. (meet)
우리의 직원은 주간 토론을 위해 월요일 아침마다 모임을 갖습니다.

02 Our staff ________________ hard to meet their goals. (work)
우리의 직원들은 그들의 목표를 달성하기 위해서 열심히 일합니다.

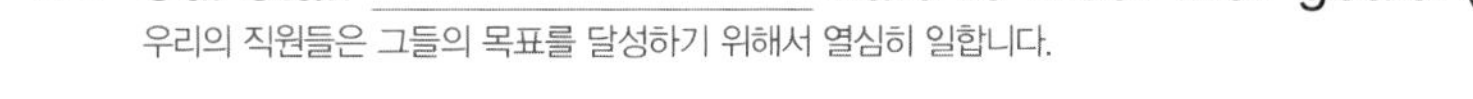

Keep in Mind

집합명사

집합명사는 하나의 단위로도 간주되고 그 단위를 구성하는 사람으로도 간주된다. 단위로 간주될 때에는 단수로, 사람을 가리킬 때에는 복수로 취급한다. 그러나 정확히 어느 경우로 간주되었는지 애매한 때도 많아서 동일한 명사에 대해 단수와 복수 모두로 받는 경우가 많다. 영국은 주로 복수로 보는 경향이 강하고 미국은 단수로 보는 경향이 강하다. 특히 정부(administration, government)와 팀 이름(England, America, United)은 미국에서는 단수 취급한다.

01 meets 02 work

5 부정대명사

부정대명사는 불가산 명사와 함께 쓰이면 항상 단수 취급한다. 가산 명사와 함께 쓰일 때에는 단수 취급하는 경우와 복수 취급하는 경우로 구분된다.

단수 취급	much 유형	much는 항상 불가산 명사와 함께 쓰이므로 항상 단수 취급한다. much (a) little a great deal of an amount of
	everything 유형	everything은 항상 단수형으로 쓰고, 항상 단수 취급한다. everything everyone/everybody anything anyone/anybody something someone/somebody nothing nobody no one
	each 유형	each는 항상 가산 명사의 단수와 함께 쓰이고, 항상 단수 취급한다. each every either neither
복수 취급	many 유형	many는 항상 가산 명사의 복수와 함께 쓰이고, 항상 복수 취급한다. many (a) few a number of both several a couple of a majority(minority) of
단수/복수	a lot of 유형	a lot of가 불가산 명사와 함께 쓰이면 단수 취급하고, 복수 명사와 함께 쓰이면 복수 취급한다. plenty of all any some a lot of/lots of no none most enough

Keep in Mind

★ the number of(~의 수)는 단수 취급, a number of(많은 ~)는 복수 취급한다.
The number of books in the library **has** risen to over five million. 도서관의 도서 숫자가 5백만 권 이상으로 증가했다.

★ none은 단수, 복수 모두 취급한다.
None (of the books) **has[have]** been placed on the shelves. 그 책(들) 중 어느 것도 책장에 놓여 있지 않다.

★ any of는 단수 취급한다.
Any of them **doesn't know** where the money is hidden. 그들 중 누구도 그 돈이 어디 숨겨져 있는지 모른다.
I don't think any of the food **tastes** particularly good. 그 음식 중 어느 것도 특별히 맛있지는 않은 것 같다.

★ each가 주어 뒤에 쓰이면 '부사'이지 주어가 아니다.
They each **have signed** the petition. 그들은 각각 탄원서에 서명했다.

01 Neither of them ______________ welcome. (be)
그들 중 아무도 환영받지 않는다.

02 Each child ______________ drawn a picture. (have)
각 아이들은 그림을 그렸다.

03 Not many films ______________ made in Finland. (be)
핀란드에서는 영화가 많이 만들어지지 않는다.

04 A number of refugees ______________ been turned back at the border. (have)
많은 난민들이 국경에서 되돌려 보내졌다.

05 All the furniture ______________ destroyed in the fire. (be)
모든 가구가 화재로 소실되었다.

06 None of them ______________ been to Canada. (have)
그들 중 아무도 캐나다에 가 본 적이 없다.

01 is 02 has 03 are 04 have 05 was 06 has[have]

6 접속사로 연결된 명사

1) 접속사 and로 연결된 명사

복수 취급	and로 연결되거나 복수 명사가 쓰이는 경우는 대개 복수로 취급한다. Tom and Alice **are** now ready. Tom과 Alice는 모두 준비되었다. American and Dutch beer **are** much lighter than British beer. 미국 맥주와 네덜란드 맥주는 영국 맥주보다 도수가 훨씬 약하다.
단수 취급	every와 each는 and로 연결되어도 단수 취급한다. Every adult and child **was** holding a flag. 〈every로 연결〉 모든 어른과 아이가 깃발을 들고 있었다.

Keep in Mind

단수 or 복수

and로 연결된 부분이 동일한 하나로 간주하면 단수 취급하고, 서로 다른 두 개로 간주하면 복수 취급한다.

Fish and chips **is** a meal that consists of fried fish and potato chips.

〈fish and chips(피시앤칩스), bread and butter(버터 바른 빵)는 하나의 음식으로 간주〉

01 One or two reasons ______________ suggested. (be)
한 가지 이상의 이유가 제시되었다.

02 Bread and butter ______________ my usual breakfast. (be)
버터 바른 빵은 내가 평소에 먹는 아침 식사이다.

2) 상관접속사로 연결된 명사

A as well as B B뿐만 아니라 A도 역시	「A as well as B」가 주어로 쓰이면 앞의 명사(A)에 동사를 일치 (= not only B but also A) The captain, as well as the other players, **was** tired. 〈The captain이 주어〉 다른 선수들은 물론 주장도 지쳤다.
either A or B A 또는 B neither A nor B A B 둘 다 아닌	「either A or B」가 주어로 쓰이면 뒤의 명사(B)에 동사를 일치 Either your brakes or your eyesight **is** at fault. 브레이크 아니면 너의 시력이 잘못되었다.

03 Neither he nor his daughters ______________ arrived. (have)
그도 그의 딸들도 도착하지 않았다.

04 Not only the students but their teacher ______________ enjoying the film. (be)
학생들뿐만 아니라 그들의 담임교사도 그 영화를 재미있게 보고 있다.

01 were 02 is 03 have 04 is

7 기타 일치

1) 「There is/are+명사」 ▶ is/are의 결정은 뒤에 나오는 명사의 수에 의해 결정된다.

There is a cup on the table. 테이블 위에 컵이 하나 있다.
There are some cups on the table. 테이블 위에 컵이 몇 개 있다.
→ is는 뒤의 명사가 a cup으로 단수이기 때문이고, are는 뒤의 명사가 some cups로 복수이기 때문이다.

01 There ______________ much news in the paper this morning. (be, not)
오늘 아침 신문에 뉴스가 많지 않다.

02 There ______________ been lots of new arrivals at the store. (have)
그 가게에는 신상품이 많이 들어왔다.

2) 절이 주어인 경우 ▶ that절, 의문사절, 관계사절, 부정사, 동명사 등은 단수 취급한다.

To keep these young people in prison is inhuman. 이 젊은이들을 감옥에 가두는 것은 비인간적이다.
→ To keep ~ prison은 to부정사로 주어이고, is는 동사이다. to부정사는 단수 취급한다.

03 Having overall responsibility for the course ______________ that I have a lot of meetings. 그 과정에 대해 전반적인 책임을 진다는 것은 내가 회의가 많다는 것을 뜻한다. (mean)

04 Whoever took them ______________ a mystery. (remain)
그것들을 누가 가져갔는가는 수수께끼로 남아 있다.

3) 선행하는 명사와 대명사의 일치

- The books were too heavy, so I left them. 그 책들은 너무 무거워서 나는 그냥 두었다.
- The box was too heavy, so I left it. 그 상자는 너무 무거워서 나는 그냥 두었다.

05 We're going out for a meal. Matthew and Emma said [they/he] might come too.
우리는 식사하러 외출할 것이다. Matthew와 Emma도 또한 갈지 모른다고 말했다.

06 A: What about Laura's friend Emily? Laura의 친구 Emily는 어떠니?
B: I expect [they'll/she'll] be there. Emily도 그곳에 올 것 같아.

01 isn't 02 have 03 means 04 remains 05 they 06 she'll

Exercises

Answers / p.09

A 다음 문장에서 어법상 틀린 부분을 찾아 바르게 고치시오.

01 A number of questions was asked.

02 Ninety kilos are too heavy for me to lift.

03 Economics are a difficult subject.

04 Keeping large animals as pets in a small house are cruel.

05 That he was the best of the many talented golfers of his generation seem indisputable.

B 빈칸 안에 be동사의 알맞은 현재형을 쓰시오.

01 This hip pad was invented for the elderly who ______________ prone to falling.

02 I wonder if either of those alternatives ______________ a good idea.

03 Those books that he is putting in the bookcase ______________ very old.

04 Either he or his parents ______________ going to meet Mr. Peterson.

05 Some of the deer introduced into the park ______________ across the river.

C 다음 주어진 단어를 이용하여 조건에 맞게 영작하시오.

조건 ① 필요 시 단어를 추가 및 변형할 것 ② 동사의 수에 유의할 것

01 그 책들의 반은 그 책상에 놓여있다. (half of, be placed)

→ ______________________________

02 이 학교의 과학 수업들은 어렵다. (class, at, difficult)

→ ______________________________

03 홍역이 그 지역의 수많은 어린이들이 사망하게 했다. (measles, have killed, a large number, region)

→ ______________________________

04 그들이 이 지역들에서 필요한 것은 담수이다. (what, area, fresh water)

→ ______________________________

05 이 나라에서 소비되는 우유의 30퍼센트 정도가 수입된다. (about, percent, consume, import)

→ ______________________________

LESSON 02

문장의 의미를 더하는 〈강조〉

문장 속에서 어느 한 부분에 초점을 두어 그 부분을 강조해야 할 때가 있다. 그 강조하는 방식은 매우 다양하여 일일이 다 열거할 수는 없지만 대략 구분하면, 억양을 강하게 하는 방법, 위치를 변경하는 방법, 단어를 추가하는 방법, 새로운 구조를 이용하는 방법 등이 있다. 시험에 자주 등장하는 중요한 몇 가지를 언급하면 다음과 같다.

1 문두 이동 ▶ 강조하려는 부분을 문장 맨 앞으로 이동시키는 것을 말한다.

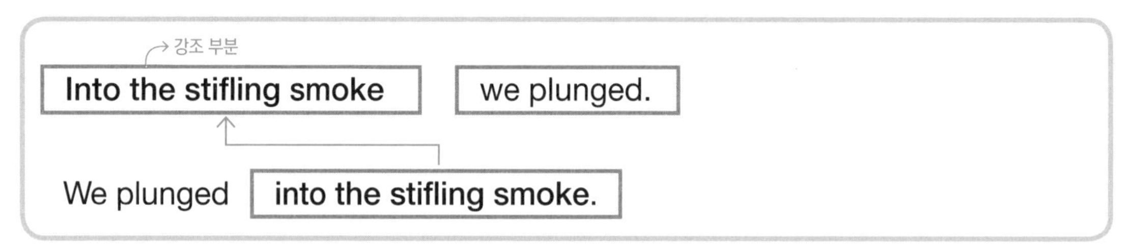

- We plunged into the stifling smoke. 〈보통 문장〉
  └ **Into the stifling smoke** we plunged. 〈강조 문장〉
  → 그 숨 막히는 연기 속으로 우리는 뛰어 들었다.

Keep in Mind

문장 맨 앞 위치가 모두 강조를 나타내는 것은 아니고, 주어가 길어서 도치하는 경우도 있다.

Faint grew the sound of the bell. 종소리가 희미해졌다.
'the sound of the bell'이 주어인데 상대적으로 길어서 문미로 위치 이동했고, 보어인 'faint'가 어쩔 수 없이 문두에 위치하게 되었다.

01 ______________________ they serve at that hotel.
└ They serve **really good meals** at that hotel.
저 호텔에서는 정말 멋진 요리가 나온다.

02 ______________________ may be added ten further items of importance.
└ Ten further items of importance may be added **to this list.**
중요한 10개의 품목이 더 이 리스트에 추가될 수도 있다.

03 ______________________ was my sister Flora.
└ My sister Flora was **sitting at her desk in deep concentration.**
내 여동생 Flora는 책상에 앉아 깊은 집중을 하고 있었다.

04 ______________ I was born and ______________ I will die.
└ I was born **in London** and I will die **in London.**
나는 런던에서 태어났고 런던에서 죽을 것이다.

01 Really good meals **02** To this list **03** Sitting at her desk in deep concentration **04** In London, in London

2 do에 의한 강조 ▶ 동사를 강조할 때에는 do 동사를 빌려서 한다. 현재와 과거시제만 강조한다.

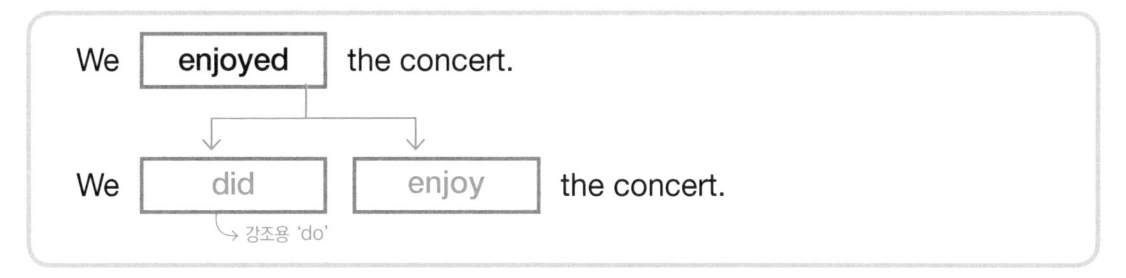

- We **enjoyed** the concert. 〈보통 문장〉 우리는 그 콘서트에서 즐거운 시간을 보냈다.
  └ We **did enjoy** the concert. 〈강조 문장〉 우리는 그 콘서트에서 정말 즐거운 시간을 보냈다.

You're so right. I **do agree** with you.
네가 정말로 옳다. 나는 전적으로 동의한다.

The city center **does get** crowded, doesn't it?
도심은 정말 붐빈다, 그렇지?

Do hurry up, or we'll be late.
정말로 서둘러라, 그렇지 않으면 우리는 늦을 거야.

01 You need a haircut.
└ You ______ ______ a haircut.
너 머리를 꼭 깎아야겠다.

02 That picture looks nice.
└ That picture ______ ______ nice.
저 그림은 정말 멋져 보인다.

03 They speak French in Quebec.
└ They ______ ______ French in Quebec.
사람들은 퀘벡 주에서 프랑스어를 진짜로 사용한다.

04 I reminded you about the project.
└ I ______ ______ you about the project.
내가 그 프로젝트에 대해 일러 주었잖니.

05 Vicky is quite sure that she saw a ghost.
└ Vicky is quite sure that she ______ ______ a ghost.
Vicky는 귀신을 정말 보았다고 확신한다.

01 do need 02 does look 03 do speak 04 did remind 05 did see

3 It is ~ that 강조 구문

1) 기본 형태

「it is ~ that …」이라는 구조를 통하여 강조를 나타내는 방식이다.
원래 문장에서 강조할 부분을 it is[was]와 that 사이에 넣고 나머지는 that 이하에 둔다.

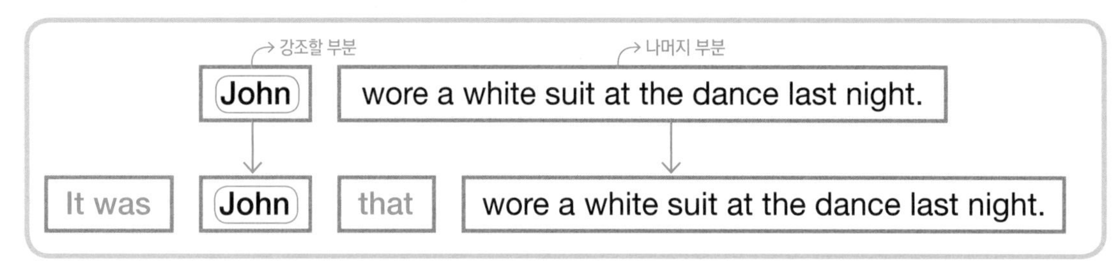

- John wore a white suit at the dance last night. 〈보통 문장〉
  └ **It was** John **that[who]** wore a white suit at the dance last night. 〈강조 문장〉
  어젯밤 댄스파티에서 흰색 정장을 입고 있었던 사람은 바로 John이었다.

→ 보통 문장에서 강조하려는 John을 It was와 that 사이에 넣었다.

It was last night **that[when]** John wore a white suit at the dance. 〈시간 부사 강조〉
John이 댄스파티에서 흰색 정장을 입었던 때는 어젯밤이었다.

It was at the dance **that[where]** John wore a white suit last night. 〈장소 부사 강조〉
John이 어젯밤 흰색 정장을 입었던 곳은 댄스파티에서였다.

It was a white suit **that** John wore at the dance last night. 〈직접목적어 강조〉
John이 어젯밤 댄스파티에서 입었던 것은 흰색 정장이었다.

Keep in Mind

not ~ until 구문의 it ~ that 강조

It was not until 10 p.m. **that** the train left. (= Not until 10 p.m. did the train leave.)
열차는 10시가 되어서야 출발했다.

01 ____________________ that Natalie needs right now. (you)
Natalie가 지금 필요로 하는 사람은 바로 너이다.

02 ____________________ that he eventually became. (a doctor)
그가 결국 된 것은 의사였다.

03 ____________________ that I am writing this special card. (to cheer her up)
내가 이 특별한 카드를 쓰는 것은 그녀에게 기운을 북돋아 주기 위해서이다.

04 ____________________ that he gave the book. (to me)
그가 책을 준 것은 나에게였다.

05 It was ____________________ that the game began. (not, arrive)
Judy가 도착하고 나서야 경기가 시작되었다.

01 It is you 02 It was a doctor 03 It is to cheer her up 04 It was to me 05 not until Judy arrived

2) 의문문의 강조

(1) Yes-No 의문문

의문문의 강조는 먼저 평서문의 강조문을 만든 다음, 「It is ~」를 「Is it ~」으로 바꾸면 된다. 독해 지문에서 종종 등장하는 문장 구조이므로 어떻게 만들어지는지 알아 두자.

Were you complaining about the girl?

① 원래의 의문문을 평서문으로 전환

You were complaining about the girl.

② 평서문을 it is[was] ~ that 구문으로 전환

It was the girl that you were complaining about.

③ it is[was] ~을 is[was] it ~로 전환

Was it the girl that you were complaining about?

의문문 어순 / 평서문 어순

- Were you complaining about the girl? 너는 그 소녀에 대해 불평하고 있었니? 〈보통 문장〉
  └ **Was it** the girl **that** you were complaining about? 〈강조 문장〉

01 ______________________ that had an accident? (Tom)
사고가 난 사람이 Tom이었니?

02 ______________________ that you are eating? (chocolate cake)
네가 먹고 있는 것이 초콜릿 케이크이니?

03 ______________________ that Columbus sailed to America? (in 1492)
Columbus가 아메리카로 항해한 것이 1492년이었니?

(2) 의문사 의문문

의문사를 「It is ~ that」 사이에 넣어 강조구문으로 만든 다음, 이를 다시 의문문 어순으로 바꾼다.

Who broke the window?

① 의문대명사 who를 it was who that의 형태로 바꾸고 나머지 broke the window는 that이하로 보낸다.

It was who that broke the window.

② it was who that을 의문문 어순인 who was it that으로 바꾼다.

Who was it that broke the window?

의문사가 있는 의문문 어순 / 평서문 어순

- Who broke the window? 누가 창문을 깨뜨렸니? 〈보통 문장〉
- Who **was it that** broke the window? 〈강조 문장〉

➜ 위의 문장은 의문대명사 who를 강조한 것이다.

04 ______________________ that invented the radio? (who)
라디오를 발명한 사람이 누구니?

05 ______________________ that the Olympic Games first took place? (where)
올림픽이 처음으로 열린 곳은 어디였니?

01 Was it Tom 02 Is it chocolate cake 03 Was it in 1492 04 Who was it 05 Where was it

3) 「not A, but B」 구문과의 혼합 ▶ 「It is ~ that …」 강조 구문은 「not A, but B」 구문과 섞여 쓰이는 경우가 많다.

It is not the players, but the supporters **that** are responsible for football hooliganism.
광적인 축구 응원에 대해 책임져야 하는 사람은 선수들이 아니라 응원자들이다.

It's the red book **that** I want, not the green one.
내가 원하는 것은 저 빨간 책이지 녹색 책이 아니다.

Keep in Mind

「it is ~ that」 강조 구문 vs. 「it ~ that」 가주어/진주어 구문

주어인 that절을 it으로 대체하여 쓴 「it ~ that」 가주어 구문과 「it is ~ that」 강조 구문은 전혀 다르다.

ⓐ **It was** by a cigarette butt **that** the fire was caused. 〈강조 구문〉
그 화재가 발생한 것은 담배꽁초에 의해서였다.

ⓑ **It** looks certain **that** the fire was caused by a cigarette butt. 〈가주어/진주어 구문〉
그 화재가 담배꽁초에 의해 발생했다는 것은 분명한 것 같다.

강조 구문 (It is ~ that)	가주어/진주어 구문
① that 이하의 절이 완전하지 못하다. (by a cigarette butt 부분이 빠졌으므로)	① that 이하의 절이 완전하다.
② It 뒤에 반드시 be동사만 온다.	② It 뒤에 다른 동사(seem, appear, happen, chance, turn out 등)도 올 수 있다.
③ that 이하의 시제(was caused) 와 it 뒤의 시제 (was)가 일치하여야 한다.	③ that 이하의 시제와 it 뒤의 시제가 반드시 일치할 필요는 없다. (was의 시제와 looks의 시제가 다름)

4 what 강조 구문 ▶ 「It is ~ that …」 강조 구문과 유사한 구문 중에 「what ~ is …」 구문이 있다.

What kept me awake was Rachel's stereo.
나를 깨어있게 한 것은 Rachel의 스테레오이다.
≒ **It was** Rachel's stereo **that** kept me awake.

What he has done is (to) spoil the whole thing. 〈is 뒤에 to부정사나 원형부정사가 오기도 함〉
그가 한 것은 그 일 전부를 망친 것뿐이다.

01 Vicky is looking for a job in television. (what)
= ______________________ is a job in television.
Vicky가 찾는 것은 방송국의 직업이다.

02 I want to learn a lot. (what, do)
= ______________________ is learn a lot.
내가 하고 싶은 것은 많이 배우고자 하는 것뿐이다.

01 What Vicky is looking for 02 What I want to do

Exercises

Answers / p.09

A 다음 문장에서 동사를 강조하여 쓰시오.

01 Her parents love her. → ____________________

02 You need a good rest. → ____________________

03 Have some more soup. → ____________________

04 Melanie helps a lot of people. → ____________________

05 I prepared for the test. → ____________________

B 다음 두 문장이 같은 뜻이 되도록 what을 이용하여 빈칸을 알맞은 말로 채우시오.

01 I said that Bernard was going on holiday to Austria.
= ____________________ was that Bernard was going on holiday to Austria.

02 We gave them some homemade cake.
= ____________________ was some homemade cake.

03 His rudeness upset me most.
= ____________________ was his rudeness.

04 It annoyed me that she didn't apologize for being late.
= ____________________ that she didn't apologize for being late.

05 I'm going to teach him a lesson.
= ____________________ is teach him a lesson.

C 다음 밑줄 친 부분을 강조하는 「it is ~ that ...」 강조 구문으로 바꾸어 쓰시오.

01 I object to <u>how she does it</u>.
→ ____________________

02 He turned professional <u>only last year</u>.
→ ____________________

03 The accident took place <u>on the road</u>.
→ ____________________

04 <u>Mercury</u> is the nearest planet to the sun.
→ ____________________

05 <u>What</u> must you pay attention to?
→ ____________________

LESSON 03

문장의 구조를 바꾸는 〈도치〉

1 도치의 기본 형식

▶「주어+동사」의 순서가 아닌「동사+주어」의 순서로 된 모양을 '도치'라 한다.

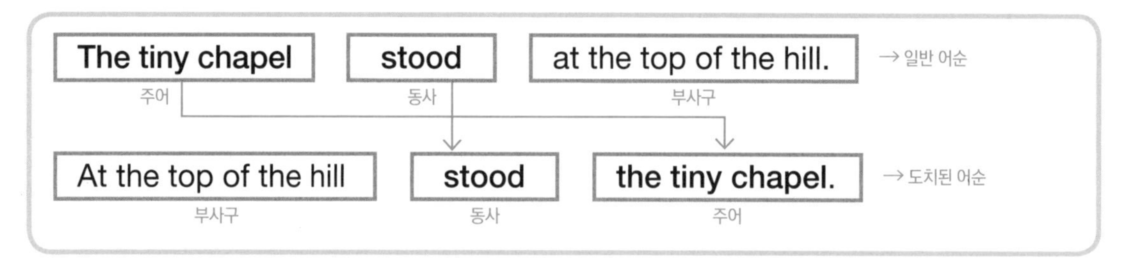

- At the top of the hill **stood the tiny chapel.** 언덕 꼭대기에 그 작은 예배당이 있었다.
  =The tiny chapel stood at the top of the hill.

01 In the fields of poppies [were lying the dying soldiers / the dying soldiers were lying].
양귀비 들판에 죽어가는 병사들이 누워 있었다.

02 Into the stifling smoke [the desperate mother plunged / plunged the desperate mother]. 숨 막히는 연기 속으로 그 절박한 엄마가 뛰어들었다.

2 도치의 종류와 모양

1) V+S:「주어+동사」의 도치

▶ 일반 도치는 보어나 부사(구)가 문두에 와서 그 뒤의「주어+동사」가 단순히 순서만 뒤바뀌어「동사+주어」의 어순이 되는 것을 말한다.

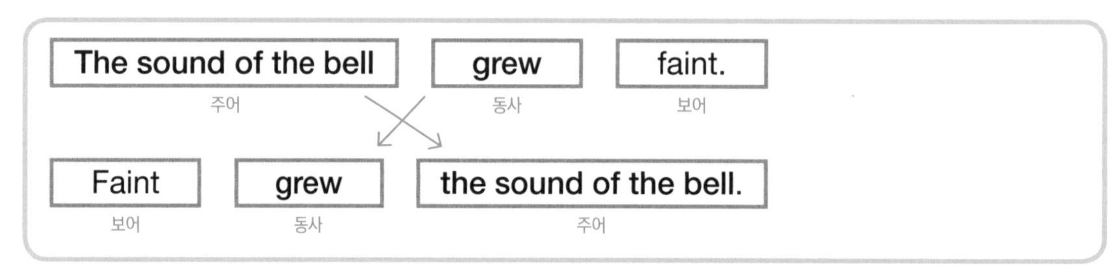

- Faint **grew the sound of the bell.** 종소리는 희미해졌다.
  =The sound of the bell grew faint.
  ➜ 부사(구)나 보어(형용사)가 문두에 위치할 때, 일반 도치 발생

01 were lying the dying soldiers 02 plunged the desperate mother

01 Especially remarkable [was her oval face/her oval face was].
그녀의 달걀형 얼굴은 매우 두드러졌다.

02 Here [a cup of tea for you is/is a cup of tea for you].
여기 당신을 위한 차 한 잔이 있습니다.

03 Down [the rain came/came the rain].
비가 내렸다.

04 In the distance [could be seen the purple mountains/the purple mountains could be seen]. 멀리서도 자줏빛 산들은 볼 수 있다.

05 Slowly out of its hangar [the gigantic aircraft rolled/rolled the gigantic aircraft].
그 격납고로부터 천천히 그 거대한 비행기가 굴러 나왔다.

06 Equally strange [his behavior to close friends was/was his behavior to close friends]. 그의 행동은 친한 친구들에게도 똑같이 이해가 안 되었다.

07 Her face was stony and even stonier [was the tone of her voice/the tone of her voice was]. 그녀의 얼굴은 냉담했고 목소리 어조는 더욱 냉담했다.

Keep in Mind

도치의 예외: 주어가 대명사인 경우와 there 구문은 도치하지 않는다.

Very pretty **she grew.** (O) 여자는 매우 예뻐졌다.
Very pretty **grew she.** (X) 여자는 매우 예뻐졌다.
→ very pretty라는 보어가 문두에 놓였으나 she가 대명사이므로 도치하지 않는다.

In the garden **there was a sundial.** (O) 정원에 해시계가 하나 있었다.
In the garden **was there a sundial.** (X) 정원에 해시계가 하나 있었다.
→ in the garden의 부사구가 문두에 놓였어도 there was는 도치하지 않는다.

08 Here __________ __________. (it, be)
그것이 여기에 있다.

09 There __________ __________. (he, go)
저기에 그가 간다.

10 Here __________ __________. (she, come)
그녀가 이리로 온다.

01 was her oval face 02 is a cup of tea for you 03 came the rain 04 could be seen the purple mountains 05 rolled the gigantic aircraft 06 was his behavior to close friends 07 was the tone of her voice 08 it is 09 he goes 10 she comes

2) 여러 가지 도치

(1) be동사, 조동사일 때: 부정어가 문두에 오면 주어와 동사의 순서만 바꾸면 된다.

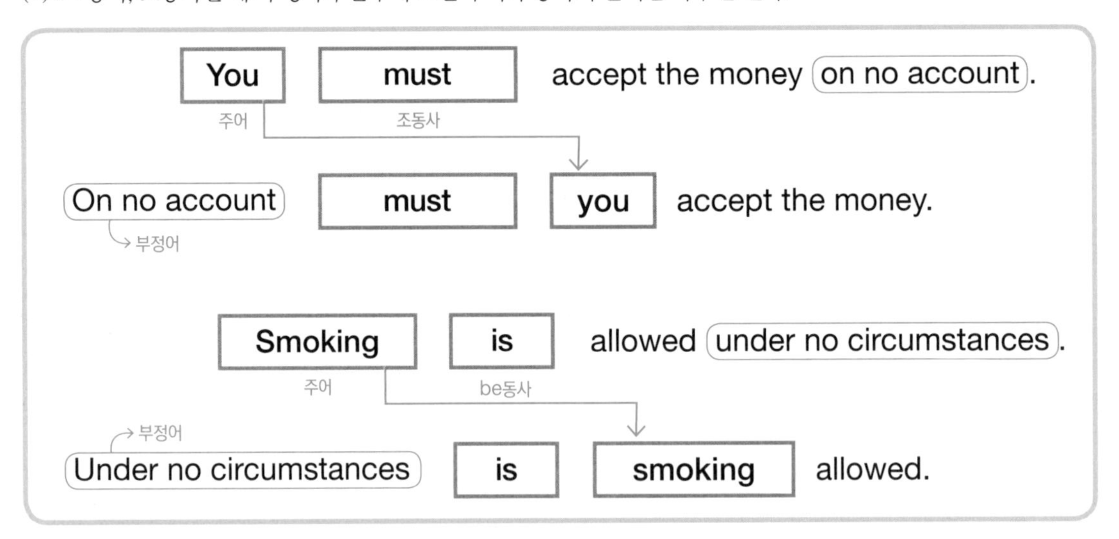

- You must accept the money on no account. 〈조동사〉 어떠한 경우에도 그 돈을 받아서는 안 된다.
  └ On no account **must you** accept the money.
- Smoking is allowed under no circumstances. 〈be동사〉 어떤 조건에서도 흡연은 허용되지 않습니다.
  └ Under no circumstances **is smoking** allowed.

(2) 일반동사일 때: 부정어가 문두에 오면 「주어+일반동사」를 「do/does/did+주어+동사원형」으로 바꾼다.

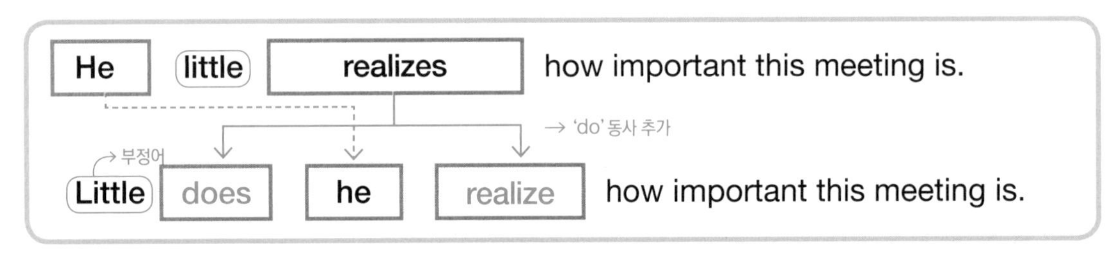

- He little realizes how important this meeting is. 〈일반동사〉 이 회의가 얼마나 중요한지 그는 알지 못한다.
  └ Little **does he realize** how important this meeting is.

(3) 도치의 종류

부정어 문두	Little **did they know** that we were watching them. 그들은 우리가 자기들을 보고 있다는 것을 알지 못했다. Only one more point **will I make.** 딱 한 가지만 더 주장하겠습니다. Not until 10 p.m. **did the train leave.** (=The train did not leave until 10 p.m.) 열차는 10시가 되어서야 출발했다.
원급/비교급	I spend more than **do my friends.** 나는 친구들보다 돈을 많이 쓴다.
if 생략 가정법	**Were she alive** today, she would grieve at the changes. (= If she were ~) 그녀가 오늘 살아있다면 그 변화들을 슬퍼할 텐데. **Had I known**, I would have gone to her. (= If I had known, ~) 내가 알았더라면 그녀에게 갔을 것이다.
so[such] ~ that	**So absurd was** his manner that everyone stared. (= His manner was so absurd ~) 그의 태도가 너무 엉터리여서 모두가 쳐다보았다. **Such was his strength** that he could bend iron bars. (= His strength was such that ~) 그의 힘은 쇠막대를 구부릴 정도였다.

01 He did not read a single book a month.
= Not a single book ______________________ a month.
그는 한 달에 단 한 권의 책도 읽지 않았다.

02 He had scarcely started speaking when heckling broke out.
= Scarcely ______________________ speaking when heckling broke out.
그가 말을 시작하자마자 야유가 터져 나왔다.

03 They could solve the puzzle in this way alone.
= In this way alone ______________________ the puzzle.
이 방식으로만 그들은 수수께끼를 풀 수 있었다.

04 They go to concerts frequently, as I do.
= They go to concerts frequently, ______________________.
그들은 나만큼이나 자주 콘서트에 간다.

05 Oil costs less than atomic energy would.
= Oil costs less than ______________________.
석유는 원자력 에너지보다 비용이 적게 든다.

06 If it were not for your help, I would still be homeless.
= ______________________ for your help, I would still be homeless.
너의 도움이 없다면 나는 아직도 집이 없을 것이다.

07 The attack was so sudden that we had no time to escape.
= So sudden ______________________ that we had no time to escape.
공격이 너무 갑작스럽게 이루어져서 우리는 탈출할 시간이 없었다.

01 did he read 02 had he started 03 could they solve 04 as do I 05 would atomic energy 06 Were it not 07 was the attack

3) so/neither 구문

어떤 문장에 대한 대답을 나타내거나, 앞 문장(절)을 반복해야 할 때, 이를 간단하게 표현하는 방식인 「so[neither]+정동사+주어」는 '~도 또한 그렇다'의 의미이다. 앞의 동사가 be동사, 조동사, have (p.p.)이면 그 동사를 그대로 쓰고, 일반동사이면 do/does/did를 쓴다.

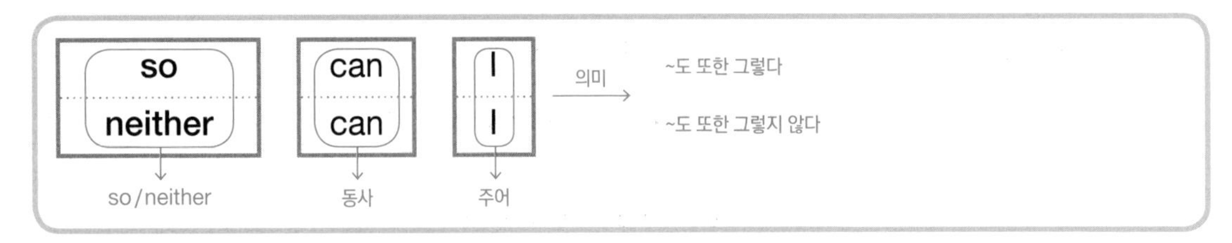

- John can speak French and **so can I.**
  └ John can speak French and I can, too. John은 불어를 말할 줄 안다. 그리고 나도 그렇다.
- John can't speak French and **neither can I.**
  └ John can't speak French and I can't, either. John은 불어를 말할 줄 모른다. 그리고 나도 그렇다.

Keep in Mind

so 뒤의 어순은 의문문 어순 (V+S)

so 뒤의 「동사+주어」의 모양은 앞 문장의 「주어+동사」를 '의문문 어순'으로 바꾼 것과 같다. 물론 주어는 달라진다.

John can speak French and so can I.
의문문 어순으로 전환
John went to the concert last night and so did I.
의문문 어순으로 전환

01 She must come and so ________________. (you, must)
그 여자도 와야 하고 너도 또한 그렇다.

02 A: I'm thirsty. 나는 목마르다.
B: So ________________. (I, am) 나도 그래.

03 A: I went to the concert last week. 나는 지난주에 콘서트에 갔다.
B: So ________________. (I, did) 나도 그랬다.

04 You haven't got any money and neither ________________. (I, have)
너는 돈이 없고 나도 그렇다.

05 I've got a rash on my arm and so ________________. (you, have)
나는 팔에 두드러기가 생겼는데 너도 그렇다.

01 must you | 02 am I | 03 did I | 04 have I | 05 have you

4) 도치 형태의 결정

(1) so/neither의 결정: 앞 문장이 긍정이면 so를, 부정이면 neither를 쓴다.

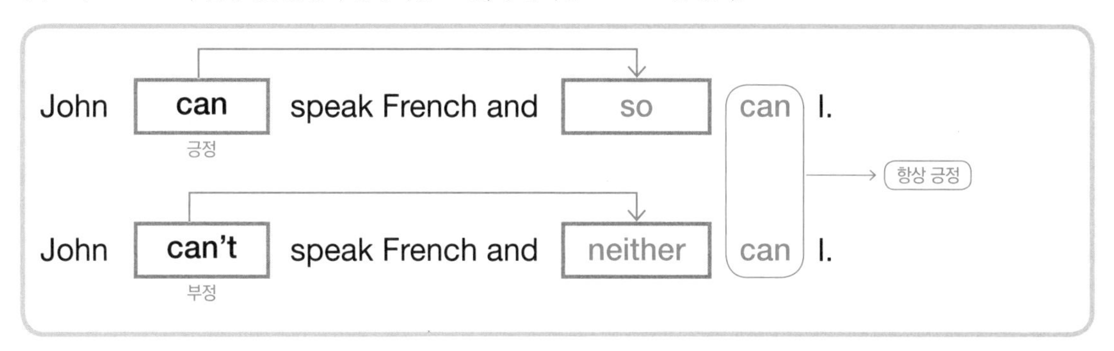

(2) 동사의 결정: so/neither 뒤 동사는 정동사가 온다.

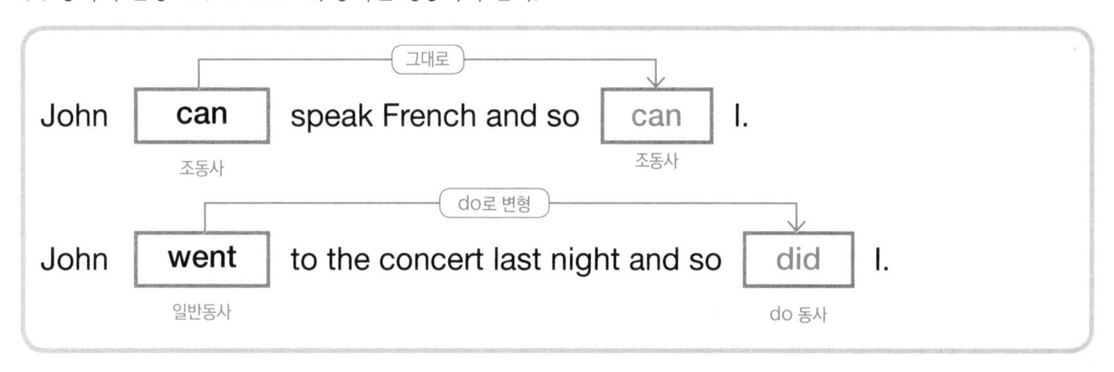

01 A: I like tennis. 나는 테니스를 좋아한다.
B: ______________ do I. 나도 그래.

02 I don't want anything to eat, and ______________ does Sue.
나는 먹을 것이 필요 없고, Sue도 먹을 것이 필요 없다.

03 She was angry and ______________ was I.
그 여자는 화났었고, 나도 그랬다.

04 I can't swim, and ______________ can you.
나는 수영을 못하고 너도 수영을 못해.

05 You haven't got any money and ______________ have I.
너는 돈이 없고 나도 돈이 없어.

01 so 02 neither 03 so 04 neither 05 neither

Exercises

Answers / p.10

A 다음 중 알맞은 것을 고르시오.

01 Over the river [lives/live] a wizard and three witches.

02 Not until the seventeenth century [did the idea of atoms appear/appeared the idea of atoms].

03 Under no circumstances [are passengers/passengers are] permitted to open the doors themselves.

04 Only when the famine gets worse [will world governments/world governments will] begin to act.

B 다음 문장을 〈보기〉처럼 so/neither 구문으로 쓰시오.

보기	
A: I'm feeling tired. B: So am I.	A: I don't like eggs. B: Neither do I.

01 A: I spent the whole evening watching television.
B: ______________________

02 A: I couldn't get up this morning.
B: ______________________

03 A: I've never been to Africa.
B: ______________________

C 다음 주어진 단어를 이용하여 조건에 맞게 영작하시오.

조건 ① 필요 시 단어를 추가 및 변형할 것 ② 도치 구문으로 쓸 것

01 겁에 질린 소년은 달아나 버렸다. (away, run, terrified)
→ ______________________

02 그녀는 절대로 집에 늦게 들어오지 않는다. (never, come home)
→ ______________________

03 그때서야 나는 그 상황이 얼마나 위험했는지를 깨달았다. (only then, realize, how dangerous, the situation)
→ ______________________

04 8월이 되어서야 정부는 그 사건에 대한 조사를 주문했다. (until August, order, an inquiry into, accident)
→ ______________________

LESSON 04

독해의 기초를 다지는 〈생략〉

1 생략이란? ▶동일한 부분이 뒤에서 다시 반복될 때, 그리고 그 부분이 중요하지 않을 때 대개 그 부분은 생략한다.

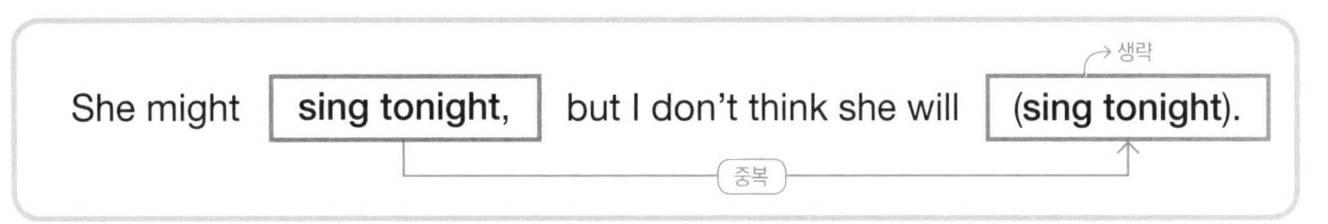

- She might sing tonight, but I don't think she **will** (**sing tonight**).
  그 여자가 오늘 밤 노래를 부를 수도 있지만 내 생각에는 부르지 않을 것 같다.

→ will 뒤에 sing tonight을 생략해도 의미 전달에 전혀 무리가 없고 오히려 불필요한 부분이 생략됨으로써 의미 전달이 더 분명해질 수 있다. 생략된 부분은 앞 어딘가에 반드시 있어야 한다.

2 여러 형식의 생략

1) 동사 이후의 생략 ▶문장(절) 속에서 동사 이후가 생략되는데 생략될 부분 속에 정동사가 있으면 정동사는 그대로 남고, 일반동사는 do/does/did로 변하여 남는다.

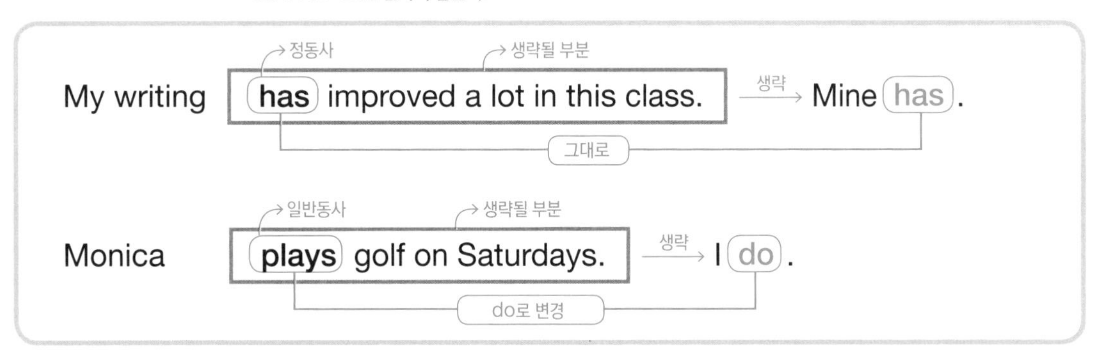

- A: My writing **has improved** a lot in this class. 나의 작문 실력이 이 수업에서 많이 늘었어.
  B: Mine **has**, too. 〈정동사의 생략〉 나의 작문 실력도 그래.
- Monica **plays** golf on Saturdays, and I **do** too. 〈일반동사의 생략〉
  Monica는 토요일에 골프를 치고, 나도 또한 그래.

의문문	A: Who **is cooking dinner tonight**? 오늘 누가 저녁을 요리할 거니? B: John **is** (**cooking dinner tonight**). John이 할 거야.
비교급	I **have eaten** more than you **have** (**eaten**). 나는 너보다 더 많이 먹었다.
등위절/부사절	I told him to **go home**, but he **wouldn't** (**go home**). 나는 그에게 집에 가라고 말했으나 그는 가려고 하지 않았다.

01 A: Who is going to do the dishes tonight? 누가 오늘밤에 설거지를 할 거니?
B: We ________________. (= We are going to do the dishes tonight.) 우리가요.

02 A: Does she like playing with dolls? 그녀는 인형 갖고 노는 것을 좋아하니?
B: Yes, she ________________. (= she likes playing with dolls) 응, 그래.
No, she ________________. (= she doesn't like playing with dolls) 아니, 그렇지 않아.

03 She understands it better than he ________________. (= he understands it)
그녀는 그보다 그것을 더 잘 이해한다.

04 Rupert wanted to delete the file, although his boss ________________.
(= his boss didn't want to delete the file) Rupert는 상사가 원하지 않았음에도 그 파일을 삭제하고 싶어했다.

2) 여러 가지 생략 ▸ to부정사가 생략되기도 하고, 「주어+동사」가 생략되기도 하고, 단어, 구, 절이 생략되기도 한다.

to부정사의 생략	You will speak to whomever I tell you **to (speak to).** 너는 내가 알려 주는 사람 모두에게 말을 해라.
접속사 뒤 「주어+동사」 생략	**While (she was) at Oxford,** she was active in the dramatic society. 그녀가 옥스퍼드 대학에 다닐 때 연극 협회에서 활동했었다.
단어/구/절 생략	I'm happy **if you are (happy).** 네가 행복하다면 나도 행복하다. His father was at Harvard **when he was (at Harvard).** 그가 하버드에 다닐 때 그의 아빠도 하버드에 다녔다.

- You can borrow my pen, if you want to ____(borrow my pen)____.
  네가 원하면 내 연필을 빌려도 좋다.

05 Although ________________ exhausted by the climb, he continued his journey.
그는 등산으로 피곤했지만 여행을 계속했다.

06 Don't ask me why ________________________________, but the door is locked.
나에게 (문이 잠겨 있는) 이유는 묻지 마세요, 하지만 문은 잠겨 있어요.

07 If you need any of that firewood, I can give you plenty ________________________.
장작이 필요하다면, 제가 (장작을) 충분히 드릴 수 있어요.

01 are 02 does, doesn't 03 does 04 didn't 05 (he was) 06 (the door is locked) 07 (of the firewood)

3) so에 의한 생략 ▸ so가 대용어 역할을 하여 다양한 생략을 나타낸다.

(1) 보어 대용: so가 앞의 명사나 형용사를 대신하여 보어로 쓰이는 경우이다.

동일

Prices at present are **reasonably stable,** and will probably remain so.

보어

▪ Prices at present are reasonably stable, and will probably remain **so**.
현재의 물가는 적절히 안정되어 있고, 앞으로도 그럴 것이다.

→ so는 remain 동사 뒤에서 보어로 쓰였고, 앞의 stable이라는 형용사를 대신한다.

01 If he's a criminal, it's his friends who have made him ______________.
만약 그가 범죄자라면 그를 그렇게 만든 것은 그의 친구들이다. └ a criminal

02 His performance isn't impressive yet, but will become ______________ in no time.
그의 성과는 아직 인상적이지 않지만 조만간 그렇게 될 것이다. └ impressive

(2) 절 대용: so가 특정한 동사 뒤에서 앞의 절을 대신하여 쓰인다. so 대신에 not이 쓰이면 부정을 나타낸다.

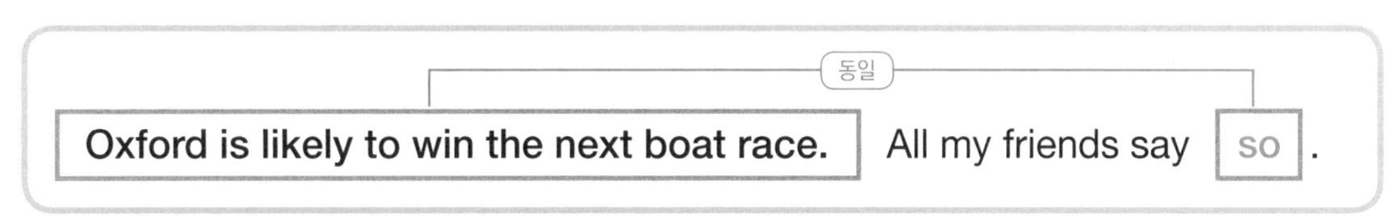
동일
Oxford is likely to win the next boat race.
All my friends say
so
.

▪ Oxford is likely to win the next boat race. All my friends say **so**.
옥스퍼드가 다음 번 보트 경주에서 이길 것 같다. 내 친구들이 모두 그렇게 말한다.

so/not과 같이 쓰이는 특정한 동사들

be afraid 유감이다	appear/seem ~처럼 보이다	assume 가정하다	believe 믿다
expect 예상하다	guess 추측하다	hope 희망하다	imagine 상상하다
presume 추정하다	suppose 추정하다	suspect 의심하다	think 생각하다

→ think, believe, imagine, expect의 경우 부정은 I don't think[believe, imagine, expect] so.의 형태로 쓰인다.

03 A: Has Ann been invited to the party? Ann이 그 파티에 초대되었니?
B: I suppose ______________. 그런 것 같아.

04 A: Are we on time? 우리가 정시에 왔지?
B: I am afraid ______________. 아쉽지만 아니야.

01 so 02 so 03 so 04 not

(3) 「so/neither+정동사+주어」 유형 : '~도 또한 그렇다/그렇지 않다'

You asked him to leave, and **so did I.**

=

I asked him to leave, too.

- You asked him to leave, and **so did I.**
  네가 그에게 떠나라고 했고, 나도 그랬다.

01 The corn is ripening, and ______________________. 옥수수가 익어 가고 있고, 사과들도 그렇다.
└ the apples are ripening, too

02 The corn isn't ripening, and ______________________. 옥수수가 익어 가고 있지 않고, 사과들도 그렇다.
└ the apples are not ripening, either

(4) 「so+주어(대명사)+정동사」유형: '정말 그렇다'의 의미를 나타내며 주어는 항상 대명사를 쓴다.

I told Bob to eat up his dinner, and **so he did.**

=

indeed, he ate up his dinner

- I told Bob to eat up his dinner, and so he did.
  나는 Bob에게 저녁을 다 먹으라고 말했고 그는 정말로 다 먹었다.

03 A: It's past midnight. 자정이 넘었다.
B: ______________________ 정말로 그렇다.
└ Indeed, it's past midnight.

04 A: Jack and Martha are here. Jack과 Martha가 이곳에 있다.
B: ______________________ 정말로 그렇다.
└ Yes, they are here.

05 A: Your bike's been moved. 네 자전거가 옮겨졌네..
B: ______________________ I wonder who moved it. 정말로 그렇네. 누구 옮겼는지 궁금해.
└ Indeed, it has been moved.

01 so are the apples 02 neither are the apples 03 So it is. 04 So they are. 05 So it has.

Exercises

Answers / p.10

A 다음 중 알맞은 것을 고르시오.

01 A: Is Don sick again?
B: Well, he hasn't come to work, so I think [so/not].

02 A: The test results are terrible. Do you think the students understood the questions?
B: I suppose [so/not].

03 A: Is Jill married?
B: I [don't think so/think not].

04 A: Is she badly injured?
B: I'm afraid [so/not].

05 A: Can you lend me some money?
B: I'm afraid [so/not].

06 A: That horse is walking with a limp.
B: So [it is/is it]. Perhaps we should tell the owner.

07 A: The council wanted the supermarket to be built.
B: So [the residents did/did the residents].

B 다음 문장의 밑줄 친 부분에서 생략될 수 있는 부분은 생략해서 다시 쓰시오.

01 Do you want to start up a business? This book tells you how you start up a business.
→ Do you want to start up a business? This book tells you ______________________.

02 When Shirley resigns from the committee, Jason will resign from the committee, too.
→ When Shirley resigns from the committee, ______________________, too.

03 The first expedition to the cave was soon followed by another two expeditions to the cave.
→ The first expedition to the cave was soon followed ______________________.

04 I wasn't expecting to have a good time at the party, but I had a good time at the party.
→ I wasn't expecting to have a good time at the party, ______________________.

05 A: Shall I bring a calculator to the exam?
B: No, you don't need to bring a calculator to the exam. They will be provided.
→ No, ______________________. They will be provided.

Review Test

[01-10] 다음 중 알맞은 것을 고르시오.

01 Two thirds of the work [was/were] done by his assistant.

02 The chair, as well as the tables, [are/is] made of wood .

03 On a hill in front of them [stood an old castle/an old castle stood].

04 One of the students [is/are] from Italy.

05 For the most part, young children spend their time playing, eating, and [sleeping/sleep] a lot.

06 In an essay explaining how to carry out a process, the writer does [need/needs] to give clear and accurate guidance or directions.

07 Disabilities do not diminish the rights of individuals [nor they have to/nor do they have to] reduce opportunities to participate in or contribute to society.

08 The referee's wrong call made the players more aggressive, and they remained [so / too] until the final whistle.

09 [What/That] I meant was that Erica could borrow my bike until I needed it again.

10 In the cells of the common garden pea [are seven pairs of chromosomes/seven pairs of chromosomes are].

*chromosome: 염색체

[11-15] 다음 밑줄 친 부분 중 어법상 틀린 것을 골라 바르게 고치시오.

11 ①Among the many valuable paintings ②in the gallery ③are a self-portrait ④by Picasso.

12 Walking briskly ①for 30 minutes or ②to run for 15 minutes ③will burn an ④approximately equal number of calories.

13 Never ① in the history of humanity ② there have been ③ more people ④ living on this relatively small planet.

14 ①Approximately ②80 percent of all the information in computers ③around the world ④are in English.

15 Neither the reporters ① nor the editor ② were satisfied ③ with the salary offer ④ made by the publisher.

[16-20] 다음 빈칸에 들어갈 말로 알맞은 것을 고르시오.

16 The number of violent crimes ______________ recently.

① have decreased ② has decreased
③ have been decreasing ④ having been decreased

17 The only information I need is each individual's name, rank, and ______________.

① serial number ② what his serial number was
③ his serial number was ④ that his serial number was

18 The pupil of your eye expands and ______________ slightly with each heartbeat.

① to contract ② contracts ③ contracting ④ contract

19 ______________ arrived at the hotel before heavy snow came down.

① Hardly he has ② Hardly has he ③ Hardly he had ④ Hardly had he

20 Mark has known for ages that his parents are coming to stay with us this weekend, but ______________ was only yesterday that he told me.

① that ② it ③ what ④ he

21 다음 글의 밑줄 친 부분 중 어법상 틀린 것을 찾아 바르게 고치시오.

Diamonds are older than nearly everything else on earth. They have been used to cut glass, cure snakebites, and ① charming kings and queens. Famed for ② their flashing beauty, diamonds are the hardest substance on earth and among the most useful. However, digging for diamonds ③ is an expensive and exhausting operation.

22 다음 글의 [ ] 안의 단어를 바르게 배열하시오.

The English which we speak and write is not the same English that was spoken and written by our grandfathers. Nor [English, was, their] precisely like that of Queen Elizabeth's time.

23 다음 글의 빈칸에 알맞은 말을 바르게 짝지은 것은?

All cheeses are made from milk that has different bacteria added to it. The bacteria ___(A)___ to make Swiss cheese are not harmful to people. They are necessary to ripen the cheese. It is while cheese is ripening ___(B)___ develops its own special flavor and color.

	(A)		(B)
①	are used	……	what
②	are used	……	that it
③	used	……	what
④	used	……	that it

24 다음 밑줄 친 문장에서 어법상 틀린 부분을 찾아 바르게 고치시오.

Rubber is very useful in many areas. About three-fifths of the rubber used in the United States go into tires and tubes. Manufacturers use rubber to make waterproof aprons, boots, raincoats, gloves, and hats.

01 다음 글의 밑줄 친 부분 중, 어법상 틀린 것은? 기출 변형

Improved consumer water consciousness may be the cheapest way to save the most water, but it is not the only way consumers can contribute to conserving water. With technology progressing faster than ever before, there ① are plenty of devices that consumers can install in their homes to save more. More than 35 models of high-efficiency toilets are on the U.S. market today, some of which use less than 1.3 gallons per flush. Starting at $200, these toilets are affordable and can help the average consumer to save hundreds of gallons of water annually. Appliances that are officially approved as most efficient are tagged with the Energy Star logo to inform the shopper. Washing machines with that rating ② use 18 to 25 gallons of water per load, ③ compared with older machines that use 40 gallons, which ④ is a considerable amount of water. High-efficiency dishwashers save even more water. These appliances use up to 50 percent less water than ⑤ does older models.

02 (A), (B), (C)의 각 네모 안에서 어법에 맞는 표현으로 가장 적절한 것은? 기출 변형

Writers fiercely compete to sell their manuscripts to publishers. I would estimate that less than one percent of the material sent to publishers (A) [is / are] ever published. Because so much material is being written, publishers can be very selective. The material they choose to publish must not only have commercial value, but (B) [be / being] very competently written without any editing and factual errors. It is unlikely that any manuscript containing error will get accepted for publication. Most publishers will not want to waste time with writers whose material (C) [do / does] contain too many mistakes.

	(A)		(B)		(C)
①	is	……	be	……	do
②	are	……	be	……	do
③	is	……	being	……	does
④	is	……	be	……	does
⑤	are	……	being	……	do

Let's Recap

1 일치 ▸ 주어와 동사의 수 일치를 말함

모르면 미끄러지는 다빈출 문법 포인트

- -s로 끝나더라도 학문명, 병명, 국가명, 간행물명, 놀이명 등은 단수 취급
- 시간, 무게, 거리, 금액 등 단위를 나타내는 복수 명사는 한 덩어리로 단수 취급
- that절, 의문사절, 관계사절, 부정사, 동명사 등은 단수 취급
- 〈the+형용사〉는 '~하는 사람들'이라는 뜻으로 복수 취급
- the number of는 단수 취급, a number of는 복수 취급
- people, cattle, staff, the police 등은 항상 복수 취급하는 명사라는 점에 주의
- means, species, series, fish, sheep 등은 단·복수형이 동일한 명사라는 점에 주의
- 삽입구(절)로 인해 주어가 길어진 경우, 주어와 동사의 수 일치에 주의
- 「분수/소수+명사」에서 분수/소수는 수 일치에 영향을 주지 않음

2 강조

- 동사를 강조할 때에는 do동사를 사용함
- 〈It is ~ that〉 강조 구문은 원래 문장에서 강조할 부분을 'it is'와 'that' 사이에 넣고 나머지는 'that' 이하에 둠
- 〈It is ~ that …〉 강조 구문과 대신 〈what ~ is …〉 구문을 써서 강조할 수 있음

3 도치 ▸ 「주어+동사」의 순서가 아닌 「동사+주어」의 순서로 된 모양을 '도치'라 함.

부정어가 맨 앞에 올 때	Little **did they know** that we were watching them. 그들은 우리가 자기들을 보고 있다는 것을 알지 못했다.
원급/비교급	I spend more than **do my friends**. 나는 친구들보다 돈을 많이 쓴다.
if가 생략된 가정법	If I had known, I would have gone to her. = **Had I known,** I would have gone to her. 내가 알았더라면 그녀에게 갔을 것이다.
so[such] ~ that	His strength was such that he could bend iron bars. = **Such was his strength** that he could bend iron bars. 그의 힘은 쇠막대를 구부릴 정도였다.

4 생략

- 반복되는 동사 생략
- to부정사, 「주어+동사」, 단어/구/절 생략

서술형 대비
Workbook

LESSON 01

절과 문장, 접속사

Answers / p.12

A 주어진 부분이 절이면 O, 아니면 X를 쓰시오.

01 she can't concentrate on her studies ______________

02 had to wait in a long line to enter the cinema ______________

03 for making such a silly mistake ______________

04 whether you like it or not ______________

05 the spectators watching the soccer game ______________

B 밑줄 친 부분을 바르게 고치시오.

01 If you wish to get ahead, should be diligent and hard-working.

02 He decided to take a rest because of he worked overtime every day.

03 In spite of she is still young, she is very considerate and compassionate.

04 My grandmother made some snacks for me during I was studying.

05 The poor man decided to steal the bread since had no money for it.

C 우리말과 같은 뜻이 되도록 주어진 말을 알맞게 배열하시오.

01 그녀는 자신이 말한 것을 기억 못하는 것이 확실해. (she, she, that, what, said, remember, doesn't)

→ I am sure ____.

02 지금 이 시간에 전화해서 미안하지만 심각한 문제가 생겼어. (trouble, am, but, serious, I, in)

→ I am sorry to call you at this hour, ______________________________.

03 그는 지금 출장 중이어서 나중에 당신의 이메일을 확인할 거예요. (will, later, so, your, he, check, email)

→ He is away on a business trip now, ______________________________.

04 그들이 공항에 도착했을 때 그들은 습한 날씨에 놀랐다. (at, they, when, the airport, arrived)

→ ______________________________, they were surprised at the humid weather.

05 당신이 전화로 설명한 것처럼 나는 왼쪽으로 돌아서 10분 동안 운전했어요.
(the phone, as, explained, you, on)

→ ______________________________, I turned left and drove for 10 minutes.

LESSON 02

등위접속사 vs. 상관접속사

Answers / p.12

A 〈보기〉에서 알맞은 말을 골라 문장을 완성하시오.

보기 for but so nor or

01 We wanted to go to the concert, ____________ we had no one to babysit Jason.

02 I didn't tell anyone about it, ____________ did my girlfriend.

03 You have been helping me a lot, ____________ I want to treat you to dinner.

04 Is Jessica sick, ____________ is she just sleeping?

05 The children decided to stay home, ____________ it had been raining a lot.

B 주어진 동사를 어법에 맞게 바꿔 쓰시오.

01 Both Aaron and I ____________ how to speak French. (know)

02 Not only the players but also the coach ____________ going to get bonus. (be)

03 Either Tim or I ____________ to wash the dishes after lunch. (have)

04 Neither my brothers nor my father ____________ to give me a driving lesson. (want)

05 She as well as her parents ____________ to spend another month in Jeju. (hope)

C 우리말과 같은 뜻이 되도록 주어진 말을 이용하여 문장을 완성하시오.

01 그의 엄마는 그의 성적에 대해서 보통 신경 쓰지 않으며, 그의 아빠도 그렇다. (nor, dad)

→ His mom doesn't usually care about his grades, ____________________________.

02 민수와 민호는 군인이기 때문에 머리를 길게 기를 수 없다. (for, soldier)

→ Minsu and Minho can't grow their hair long, ____________________________.

03 그녀는 자신의 시민에게 끔찍한 일을 했지만 어떤 사람들을 그녀를 존경한다. (yet, admire)

→ She has done horrible things to her citizens, ____________________________.

04 장 교수님의 어제 있었던 강의는 유용하지도 않고 재미있지도 않았다. (neither, useful, interesting)

→ Prof. Chang's lecture yesterday was ____________________________.

05 나의 학생들 모두 중국뿐만 아니라 일본에도 가 본 적이 있다. (to, only, also)

→ All my students have been ____________________________.

명사절

Answers / p.12

A 〈보기〉에서 알맞은 접속사를 골라 써넣으시오. (중복 사용 가능)

보기 that whether if

01 The problem is ____________ we don't have enough volunteers.

02 ____________ the plan will succeed or not isn't up to us.

03 The news ____________ Amy is moving to New York surprised all of her classmates.

04 I realized ____________ being rich has little to do with happiness.

05 The students wondered ____________ the new music teacher could sing like a soprano.

B 밑줄 친 부분이 주어, 목적어, 보어, 동격 중 어떤 역할을 하는지 쓰시오.

01 <u>That Mike failed to win a medal</u> is hard to believe. ____________

02 You never told me <u>that you graduated from Harvard</u>. ____________

03 I thought I made it clear <u>that this document should be signed</u>. ____________

04 The rumor <u>that Jake will drop out of college</u> is not true. ____________

05 My guess is <u>that some of us will make it to the finals</u>. ____________

C 두 문장을 간접의문문을 사용하여 한 문장으로 바꿔 쓰시오.

01 I don't know. + Where should I meet him?

→ ____

02 I wonder. + Who broke this vase?

→ ____

03 Do you know? + What did your brother do?

→ ____

04 I want to know. + Is she our new boss?

→ ____

05 Can you tell me? + Why were you dancing in the hallway?

→ ____

LESSON 04

부사절

Answers / p.12

A 〈보기〉에서 알맞은 접속사를 골라 써넣으시오.

보기 as long as even though until since

01 The teacher will understand you ______________ she is an open-minded person.

02 I will never forgive him ______________ he makes an apology.

03 ______________ she is physically challenged, she always tries to help others in need.

04 You won't have any problem crossing the border ______________ you have your passport with you.

B 〈보기〉에서 알맞은 말을 골라 주어진 문장과 같은 의미의 문장을 만드시오.

보기 unless so … that ~ such … that ~

01 If you don't buy tickets in advance, you won't be able to watch the performance.

→ ______________________________

02 The park was a very dangerous place. My dad wouldn't let me go there.

→ ______________________________

03 The steak was very thick. I had trouble chewing it.

→ ______________________________

C 우리말과 같은 뜻이 되도록 주어진 말을 알맞게 배열하시오.

01 그들은 이탈리아를 여행하는 동안 삼촌 집을 방문했다. (were, Italy, while, traveling around, they)

→ They visited their uncle ______________________________.

02 그녀는 자신의 여행가방을 잃어버릴 것을 대비하여 이름표를 붙였다. (loses, her, in case, suitcase, she)

→ ______________________________, she put a name tag on it.

03 나는 강의에 집중할 수 있게 커피를 2잔 이상 마셨다. (the lecture, that, could, in order, I, concentrate on)

→ I drank more than two cups of coffee ______________________________.

04 그는 집을 청소하느라 바빠서 전화가 울리는 것을 못 들었다. (cleaning up, was, busy, as, the house, he)

→ He didn't hear the phone ring ______________________________.

LESSON 01

관계대명사

Answers / p.12

A 우리말에 맞게 빈칸에 알맞은 관계대명사를 넣어 문장을 완성하시오. (that 사용 불가)

01 우리가 앉아 있던 벤치는 매우 편했다.

→ The bench ____________ we were sitting on was very comfortable.

02 나는 화성에서 사는 것이 꿈인 누군가를 인터뷰하고 싶다.

→ I would like to interview someone ____________ dream is to live on Mars.

03 나와 같이 노는 아이들의 대부분은 예의 바르다.

→ Most of the kids ____________ I hang out with are polite.

04 우리는 이와 같은 상황을 처리할 수 있는 전문가를 고용해야 한다.

→ We have to hire a specialist ____________ knows how to handle this kind of situation.

B 밑줄 친 부분을 바르게 고치시오.

01 I live in the house on the hill which roof is covered in snow.

02 Look at the cute boy is playing the piano.

03 Some of the patients waiting in the room is over 90 years old.

04 This is the place in that I was born.

05 My brother lost the pen with I usually write my diary.

C 우리말과 같은 뜻이 되도록 주어진 말을 이용하여 문장을 완성하시오.

01 너는 그녀의 전화번호를 아는 유일한 사람이 아니야. (one, that, know)

→ You are not ____.

02 우리는 보통 아이들을 위해 쓴 책들을 출판합니다. (book, which, be written, child)

→ We usually publish ____.

03 나는 손톱이 나의 것보다 더 긴 남자 아이를 본 적이 없어. (boy, whose, fingernail, longer than, mine)

→ I have never seen ____.

04 네가 어젯밤에 대화를 나누던 그 방문자를 기억해? (visitor, whom, talk to)

→ Do you remember ________________________________ last night?

LESSON 02

관계사절의 특성

Answers / p.13

A 다음 우리말에 맞게 주어진 동사의 알맞은 형태를 쓰시오.

01 우리 모두는 제트비행기 엔진을 제조하는 회사에서 일해요.

→ We all work for a company which ______________ jet engines. (manufacture)

02 미국을 횡단해서 여행하고 있는 나의 사촌들은 다음 주에 돌아올 것이다.

→ My cousins that ______________ across America will be back next week. (travel)

03 그 은행에 있었던 강도들은 아무도 해치지 않았다.

→ The robbers who ______________ at the bank didn't hurt anyone. (be)

04 자신의 부모님과 문제가 있는 학생들을 찾는 것은 어렵지 않다.

→ It is not hard to find students that ______________ problems with their parents. (have)

05 특별한 기술을 필요로 하는 직업은 대개 보수가 더 좋다.

→ Jobs which ______________ special skills usually pay better. (require)

B 〈보기〉와 같이 관계대명사절을 찾아 밑줄을 그으시오.

보기 I would like to own cars <u>that have big wheels</u>.

01 I have taught students whose native languages aren't Korean for many years.

02 Some of the books that were published last month cannot be purchased online.

03 The lady whom Tim is chatting with is his grandmother.

04 The tree over which the bird was flying had a nest in it.

05 We are looking for a volunteer who knows how to look after kittens.

C 우리말과 같은 뜻이 되도록 주어진 말을 이용하여 문장을 완성하시오.

01 나는 내가 좋아하는 소설책의 작가들과 이야기할 수 있었다. (writer, whose, novel, like)

→ I was able to talk with ____.

02 이것은 오늘 아침에 내가 이야기 했던 그 영화다. (movie, that, talk about)

→ This is ____ this morning.

03 내가 지난주에 인터뷰했던 그 배우들은 매우 무례했다. (actor, whom, interview)

→ ____ last week were very rude.

04 누가 테이블에 있었던 샌드위치를 먹었지? (sandwich, which, on, table)

→ Who ate ____?

관계사절 vs. 의문사절

Answers / p.13

A 밑줄 친 관계대명사의 선행사를 찾아 동그라미 치시오.

01 Have you found the keys that you lost yesterday?

02 This day care center is mainly for children whose parents both work.

03 The new employees whom we hired last week are all skillful.

04 Patrick just bought a house which is located at Wilson Ave. and Main St.

05 The person who was here earlier this morning is my mother-in-law.

B 밑줄 친 부분이 의문사와 관계사 중 어느 것으로 쓰였는지 구분하시오.

01 Do you know whose book this is? ____________

02 The police were all over the spot where I saw the masked men throwing away their guns. ____________

03 The question which you asked in the class was so silly. ____________

04 This is the moment when you have to speak up for yourself. ____________

05 I would really like to know why you have been avoiding my calls? ____________

C 우리말과 같은 뜻이 되도록 주어진 말을 알맞게 배열하시오.

01 경찰은 그들이 찾던 강도를 마침내 체포했다. (they, whom, looking for, the robber, were)

→ The police finally arrested ____________________________.

02 너는 냉장고에 있었던 애플파이를 먹었니? (the refrigerator, the apple pie, that, in, was)

→ Did you eat ____________________________?

03 Terry는 열대 과일 수입을 전문으로 하는 회사에서 일한다.
(tropical fruits, a company, specializes in, which, importing)

→ Terry works for ____________________________.

04 이 우주프로그램에 일하고 있는 과학자들은 연봉 인상 이상의 것을 받을 가치가 있다.
(this space program, working on, are, who, the scientists)

→ ____________________________ deserve more than just a raise.

05 우리는 주요 관심사가 정치인 기자가 필요하다. (whose, in, is, a journalist, politics, main interest)

→ We need ____________________________.

관계부사

Answers / p.13

A 〈보기〉에서 알맞은 말을 골라 문장을 완성하시오. (중복 사용 가능)

보기 where why how when

01 I'd like to know ____________ he can solve the questions so quickly.

02 You need to explain the reason ____________ you can't hand in your essay.

03 This is the place ____________ they found the stolen vehicle.

04 2016 is the year ____________ I graduated from high school.

05 The stadium ____________ the final match is scheduled to be held is still under construction.

B 밑줄 친 부분을 바르게 고치시오.

01 Please show me the way how I can download the files.

02 I can't find the station at where we are supposed to meet.

03 The ski resort when we will stay for Christmas is so beautiful.

04 I have many reasons for why I can't join your club.

05 The day which you were born was very cold.

06 You need to tell me the reason for that you didn't show up yesterday.

C 두 문장을 관계부사를 이용하여 한 문장으로 만드시오. (that 사용 금지)

01 This is the album. I store lots of important photos in it.

→ ________________________________

02 Jason knows the way. He can get coffee stains off.

→ ________________________________

03 Please tell me the reason. Mark can't come to my wedding for that reason.

→ ________________________________

04 I remember the day. You had a car accident on the day.

→ ________________________________

LESSON 05

what절 vs. wh-ever절

Answers / p.13

A 빈칸에 what과 that 중 알맞은 것을 골라 문장을 완성하시오.

01 ____________ is needed right now is your love and support.

02 There are some things ____________ you need to check before you go.

03 Paul was very impressed by ____________ his students made.

04 This isn't totally ____________ I expected from you.

05 The teacher told me there are some novels ____________ I have to read for this semester.

06 These are some of the pictures ____________ I took last year.

B 〈보기〉에서 알맞은 말을 골라 넣으시오.

보기 whomever whichever whoever whatever

01 ____________ finds it first will be given a special prize.

02 ____________ you do, don't try to open the mysterious box.

03 They can drink either apple juice or milk, ____________ they want.

04 You should be able to trust ____________ you choose to be with.

C 우리말과 같은 뜻이 되도록 주어진 단어를 이용하여 문장을 만드시오.

01 그는 내가 요청한 것을 하지 않았다고 말했다. (request)

→ He said he didn't do ______________________________.

02 오늘밤 이 건물에서 사는 분이라면 누구든지 올 수 있는 파티가 있습니다. (live, building)

→ There is a party tonight for ______________________________.

03 학생들은 그들이 원하는 무엇이든 말할 수 있습니다. (want)

→ The students are allowed to say ______________________________.

04 그들이 내게 말한 것은 꽤 충격적인 것이었다. (tell)

→ ______________________________ was quite shocking.

05 내가 어떤 것을 선택하든지 너는 허락하지 않을 거야. (choose)

→ ______________________________, you are not going to say yes.

LESSON 06

한정적 vs. 계속적 쓰임

Answers / p.13

A 빈칸에 that이 들어갈 수 있으면 O, 없으면 X를 쓰시오.

01 Mike stayed up all night to study for the test, ________ surprised his parents.

02 I forgot the name of the beautiful town ________ I visited in Italy.

03 The new accountant's name is James, ________ will be seated beside you.

04 My dad bought me amazing presents, some of ________ were limited edition action figures.

05 The man ________ I was speaking with this morning was someone very important.

B 밑줄 친 부분을 바르게 고치시오.

01 Peter has various stamps from other countries, most of <u>them</u> are very valuable.

02 The party was full of important figures, many of <u>those</u> I had never met before.

03 Julie drove more than five hours to have dinner with me, and <u>which</u> was very touching.

04 Mr. Honda, <u>that</u> is from Japan, didn't speak much during the meeting.

05 Mark was really upset with his lab partner, <u>that</u> I didn't notice then.

C 우리말과 같은 뜻이 되도록 주어진 말을 알맞게 배열하시오.

01 왓슨 부인은 골동품 꽃병을 수집하는데 그것들 전부 한국에서 왔다. (from, of, all, are, Korea, which)

→ Mrs. Watson has a collection of antique vases, ________________________.

02 Jamie 이모는 오클랜드에서 살고 계신데 다음 주에 우리를 방문하실 것이다. (Auckland, lives, in, who)

→ Aunt Jamie, ________________________, will visit us next week.

03 나는 무언가에 대해서 불평을 하는 몇몇의 쇼핑객을 상대해야 했는데 그들 중 아무도 영어를 하지 못했다. (spoke, whom, of, English, neither)

→ I had to deal with some shoppers complaining about something, ________________
________________________.

04 Patrick의 새 스마트폰은 뒷면에 카메라가 두 개인데 내 것보다 비싸다. (dual cameras, which, the back, has, on)

→ Patrick's new smartphone, ________________________, is more expensive than mine.

LESSON 01

시험에 꼭 나오는 〈일치〉

Answers / p.14

A 다음 주어진 말이 단수(singular) 취급되면 S, 복수(plural) 취급되면 P, 둘 다(both)에 해당하면 B라고 쓰시오.

01 species ____________

02 cattle ____________

03 100 kilograms ____________

04 physics ____________

05 phenomena ____________

06 the French ____________

07 crowd ____________

08 four years ____________

09 the police ____________

10 species ____________

B 주어진 동사를 알맞은 현재형으로 쓰시오.

01 The news about the hurricane ____________ very shocking. (be)

02 Two miles ____________ a long way to run. (seem)

03 The rest of the students ____________ a lot of things to study. (have)

04 The wealthy usually ____________ longer than the poor. (live)

05 The number of refugees from Syria ____________ increasing. (keep)

06 Whoever gets out last ____________ to turn off all the lights. (need)

C 우리말과 같은 뜻이 되도록 주어진 말을 이용하여 문장을 완성하시오.

01 너의 형 또는 나의 누나가 방과후에 우리를 돌봐야 한다. (either, have to, take care)

→ ________________________________ of us after school.

02 우리 사이에는 많은 문제가 있어왔다. (there, be, many)

→ ________________________________ between us.

03 그 파티에 있던 각각의 사람은 주최자에게 선물을 받았다. (each, at, receive)

→ ________________________________ a present from the host.

04 그 지역에 있는 집들의 40 퍼센트가 지진 중에 파괴되었다. (percent, in the area, be destroyed)

→ ________________________________ during the earthquake.

문장의 의미를 더하는 〈강조〉

Answers / p.14

A 빈칸을 채워 주어진 문장의 밑줄 친 부분을 강조하는 문장으로 바꿔 쓰시오.

01 My team made it to the finals.
→ My team _____ _____ it to the finals.

02 You need confidence.
→ _____ _____ _____ is confidence.

03 My grandfather was singing loudly at the park.
→ Singing loudly at the park _____ _____ _____.

04 I ran into Katie on the train last night.
→ _____ _____ _____ _____ I ran into on the train last night.

B 밑줄 친 부분을 바르게 고치시오.

01 Who was that it broke this computer?

02 It is not money, and our effort that is needed most at this time.

03 Is it a slice of pizza what you want for lunch?

04 Kenny does knows a lot about American history.

05 It was this morning where we had pancakes for breakfast.

C 우리말과 같은 뜻이 되도록 주어진 말을 알맞게 배열하시오.

01 내가 환불을 요청한 것은 바로 30분 전이었다. (that, it, half an hour, was, ago)
→ __________________ I requested a refund.

02 그가 관심 있어 하는 것은 이탈리아 요리를 하는 것이다. (is, is, interested in, what, he)
→ __________________ cooking Italian foods.

03 이 사진들은 좋았던 옛 시절을 떠오르게 한다. (me, photos, do, remind, these)
→ __________________ of good old days.

04 매일 아침 이 식물에게 물을 주는 것은 누구니? (that, waters, who, these, it, plants, is)
→ __________________ every morning?

LESSON 03

문장 구조를 바꾸는 〈도치〉

Answers / p.14

A 밑줄 친 말을 강조하는 문장으로 바꿔 쓰시오.

01 A handsome boy was standing in the doorway.

→ In the doorway ______________________________.

02 She has never experienced cold weather like this.

→ Never ______________________________.

03 The frightened kids were hiding under the bed.

→ Under the bed ______________________________.

04 The view from the roof was so spectacular.

→ So spectacular ______________________________.

B 빈칸에 주어진 단어를 이용하여 대화를 완성하시오.

01 A: I was busy doing my homework at that time.

B: ________ ________ ________. (so) That's why they couldn't watch the final match.

02 A: I have no idea what the teacher is talking about.

B: ________ ________ ________. (neither) We shouldn't have missed the last lesson.

03 A: James can't come to my party tonight.

B: ________ ________ ________. (neither) I am supposed to visit my grandmother in the hospital.

C 우리말과 같은 뜻이 되도록 주어진 말을 알맞게 도치시켜 배열하시오.

01 그는 좀처럼 9시 전에 퇴근하지 않는다. (get off, seldom, he, does)

→ ______________________________ before 9 p.m.

02 나는 그 운전자가 어떻게 그 충돌사고에서 생존할 수 있었는지 이해가 잘 되지 않았다. (I, little, understand, did)

→ ______________________________ how the driver could survive the crash.

03 그 연못 위에는 잠자리가 몇 마리가 맴돌고 있었다. (the pond, hovering, some dragonflies, over, were)

→ ______________________________

04 그녀의 반응은 너무 부정적이어서 우리는 더 좋은 계획을 고안해야 했다. (so, that, her response, was, negative)

→ ______________________________ we needed to come up with a better plan.

LESSON 04

독해의 기초를 다지는 〈생략〉

Answers / p.14

A 다음 밑줄 친 부분에서 생략된 말을 찾아 쓰시오.

01 While teaching at Stanford, she worked with brilliant professors.

→ While ______________ teaching at Stanford, she worked with brilliant professors.

02 You can drink some of this, if you want to.

→ You can drink some of this, if you want to ______________________________.

03 My mom listened to the radio, and so did my dad.

→ My mom listened to the radio, and my dad ______________________________.

04 I don't know how, but the cat got out of the house.

→ I don't know ______________________________, but the cat got out of the house.

B 우리 말에 맞게 빈칸에 알맞은 말을 넣으시오.

01 나의 의사선생님은 나에게 금연을 하라고 충고했고 나는 그렇게 했다.

→ My doctor advised me to quit smoking, and so _________ _________.

02 그녀는 내가 갔던 것보다 더 많은 나라에 가 본 적이 있다.

→ She has been to more countries than _________ _________.

03 손을 올리라고 요청 받았을 때 그 범죄자는 아무것도 하지 않았다.

→ _________ _________ to put his hands up, the criminal didn't do anything.

04 나는 인도 영화를 한 번도 본 적이 없고, 그도 그렇다.

→ I have never watched a Bollywood movie, and neither _________ _________.

C 우리말과 같은 뜻이 되도록 주어진 말을 알맞게 배열하시오.

01 누군가가 그의 이름을 불렀지만 그는 누가 그랬는지 모른다. (know, he, but, who, doesn't)

→ Someone called his name, ______________________________.

02 너는 너의 부모님만큼 여동생을 잘 돌볼 수 있어. (your parents, as, as, do, well)

→ You can take care of your baby sister ______________________________.

03 Neil은 파티에서 즐거운 시간을 보내고 있지는 않았지만 즐거운 시간을 보내는 척 했다. (pretended, but, be, he, to)

→ Neil was not having fun at the party, ______________________________.

04 방에 혼자 남겨졌을 때 그 개는 짖기 시작했다. (the room, left, in, when, alone)

→ ______________________________, the dog started barking.

MEMO

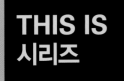

수준별 맞춤

Vocabulary 시리즈

초등필수 영단어
1, 2, 3

This Is Vocabulary
초급, 중급, 고급, 어원편

The VOCA+BULARY
완전 개정판 1~7

Grammar 시리즈

초등필수 영문법+쓰기
1, 2

OK Grammar
Level 1~4

Grammar 공감
Level 1~3

Grammar 101
Level 1~3

도전 만점 중등 내신 서술형 1~4

Grammar Bridge
Level 1~3
개정판

그래머 캡처
1~2

The Grammar with Workbook starter Level 1~3

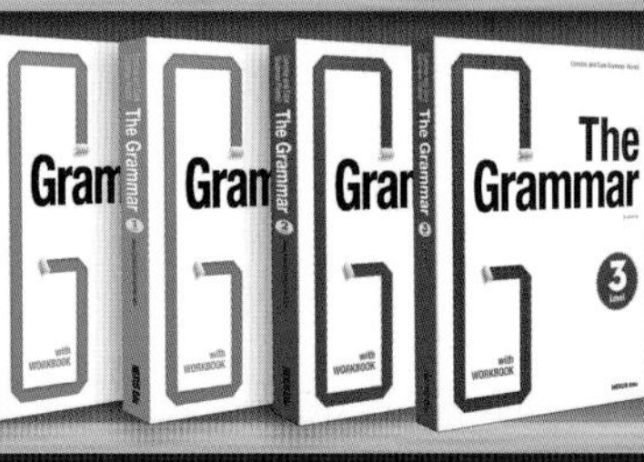

This Is Grammar
초급 1·2
중급 1·2
고급 1·2

넥서스 영어 교재 시리즈

Reading 시리즈

Reading 공감
Level 1~3

After School Reading
Level 1~3

THIS IS READING
1~4
전면 개정판

Smart Reading Basic
Level 1~2
Smart Reading
Level 1~2

구사일생
(구문독해 BASIC)
BOOK 1~2

구문독해 204
BOOK 1~2

Listening 시리즈

Listening 공감
Level 1~3

After School Listening
Level 1~3

The Listening
Level 1~4

도전! 만점 중학 영어듣기 모의고사
Level 1~3

공든탑 Listening
유형편, 적용편
실전모의고사 1·2

만점 적중 수능 듣기 모의고사
20회 / 35회

단기완성 영문법 특강

한눈에 정리되는 이미지 영문법

+

GRAMMAR CAPTURE

그래머 캡처 2

넥서스영어교육연구소 지음

접속사 · 관계사 · 기타 구문편

정답 및 해설

NEXUS Edu

그래머 캡처 2

접속사 · 관계사 · 기타 구문편

정답 및 해설

NEXUS Edu

PART 1
절과 접속사

Lesson 01 Exercises

p. 011

A 01 while 02 in spite of
03 during 04 that
05 because of

B 01 ③ 02 ② 03 ③ 04 ① 05 ③

C 01 He fell heavily and broke his arm.
02 As I said before, I'm sorry.
03 While they were asleep, someone broke into the house.
04 Although the midterm was just around the corner, I was unable to concentrate on studying.

A 01 접속사(while)+주어+동사
James의 첫 시가 그가 대학 재학 중이던 때에 출간되었다.
02 전치사(in spite of)+명사구
나는 하루 종일 일했음에도 불구하고 피곤하지 않다.
03 전치사(during)+명사구
Robert는 갑자기 시험 도중에 아프기 시작했다.
04 know의 목적어절을 이끄는 명사절 접속사 that 필요
땅 판다고 돈이 나오지 않는다는 것은 누구나 알고 있다.
05 전치사(because of)+명사구
Timmy는 1~2분 이상 한 가지에 집중할 수 있는 능력이 없어서 그는 학업 성적이 부진하다.

B 01 because → so
날씨가 좋아서 그들은 산책하러 나갔다.
02 because of → because
많은 질병 치료법이 발견될 것이므로 인간은 더 오래 살 것이다.
03 although → but
나는 그것들을 찾아서 모든 곳을 뒤졌지만, 어느 곳에서도 찾을 수 없었다.
04 Though → Despite (In spite of)
그는 아픔에도 불구하고 초청 연사로 국제회의에 참석했다.
05 for → and
나는 돈을 바꾸기 위해 은행에 가야 한다. 그리고 나는 우표를 좀 사러 우체국에 갈 예정이다.

Lesson 02 Exercises

p. 013

A 01 playing 02 get
03 effective 04 in Britain

B 01 Our parents were strict but always fair with us.
02 We went to a restaurant and had wonderful meals there.
03 She sold her house, yet (she) can't help regretting it.
04 He will not help them nor will I.

C 01 Neither Ms. Anderson nor her secretary is visiting York.
02 Either Mark or Jean is going to attend the meeting.
03 Not only the students but (also) the teacher knows the answer.
04 Both Tom and his children enjoy tennis.
05 She is good at softball as well as basketball.

A 01 singing <u>and</u> playing: 분사 연결
그들은 노래를 부르며 악기를 연주하고 있었다.
02 say <u>or</u> get: 동사원형 연결
미안하다고 말할 게 아니라면 나가거라!
03 inexpensive <u>yet</u> effective: 형용사 연결
그것은 그 문제에 대한 저렴하지만 효과적인 해결책이다.
04 <u>not only</u> in Britain <u>but also</u> in many other parts of Europe: 전치사구 연결
영국뿐만 아니라 유럽의 다른 많은 지역에는 늘 암시장이 있다.

B 01 우리 부모님은 엄격하시지만 항상 우리에게 공정하셨다.
02 우리는 식당에 가서 훌륭한 식사를 했다.
03 그녀는 집을 팔았지만, 후회되는 느낌을 피할 수 없었다.
04 그는 그들을 돕지 않을 것이고, 나도 그러지 않을 것이다.

Lesson 03 Exercises

p. 018

A
01 how far it is to Denver from here
02 whom Alex saw at the meeting
03 what John is looking for
04 which book we are supposed to buy

B
01 what were they doing → what they were doing
02 I wanted a drink → if[whether] I wanted a drink
03 about 삭제
04 made plain → made it plain

C
01 Jane can tell us why he decided not to come with us.
02 It is very strange that the children are so quiet.
03 I noticed that he spoke English with an Australian accent.
04 Mr. Thompson made it clear that he wouldn't take sides.

A |보기| 나는 저 사람이 누구인지 궁금하다.
01 나는 Denver가 여기서 얼마나 멀리 있는지 알아야 한다.
02 나는 Alex가 회의에서 누구를 보았는지 모른다.
03 나는 John이 무엇을 찾고 있는지 모른다.
04 Roberto는 우리가 어떤 책을 사야 하는지 알고 싶어 한다.

B
01 간접의문문에서 주어와 동사는 평서문 어순
경찰관은 그 남자들에게 무엇을 하고 있었는지 물어보았다.
02 의문사가 없는 간접의문문은 if(whether)가 필요
그녀는 내가 음료수를 원하는지 물어보았다.
03 that절 앞에서는 전치사를 쓸 수 없음
나는 그가 그 사고에 연루되어있다는 점이 걱정되었다.
04 긴 목적어는 가목적어 it으로 대체
그들은 어떠한 감세도 반대한다는 것을 분명히 했다.

Lesson 04 Exercises

p. 023

A
01 have finished 02 so
03 in case 04 is
05 have lived

B
01 even if 02 unless
03 Despite 04 so that

C
01 The class didn't start until 3 p.m.
02 I couldn't convince them however hard I tried.
03 Whatever they say, I don't believe them.
04 Is there anything I can do if I fail the test?

A
01 by (the time) + 미래시점 → 미래완료
Jen이 도착할 즈음 우리는 이 그룹과제를 끝내 놓을 것이다.
02 so는 형용사(부사)와 함께, such는 명사와 함께 쓰임
그 시험은 너무 쉬워서 모두가 고득점을 얻었다.
03 in case: ~할 경우를 대비해서
심판은 두 개의 손목시계를 차는데, 이는 둘 중 하나가 멎는 상황에 대비하기 위해서이다.
04 미래의 의미가 있는 시간 · 조건 부사절은 현재시제를 사용
Owen 부부는 자녀가 태어나면 새 아파트로 이사할 것이다.
05 since + 과거시제 → 현재완료
나는 졸업한 이후 계속 서울에 살고 있다.

B
01 그는 그들이 따라오든 말든 신경 쓰지 않는다.
02 Sam은 자신의 수업을 모두 통과하지 못한다면 졸업할 수 없을 것이다.
03 성공적인 수술에도 불구하고 그 환자는 호전되지 않았다.
04 나는 네가 문을 열 수 있도록 열쇠를 주겠다.

Review Test

p. 024

01 Now that 02 do I expect 03 you can
04 whereas 05 whether 06 as
07 if 08 or 09 so
10 until
11 ① → such 12 ③ → about 삭제
13 ④ → would be the next president
14 ① → how 15 ③ → despite[in spite of]
16 ③ 17 ② 18 ③ 19 ① 20 ③
21 animals live 22 unimportant
23 ③ 24 ①

01 now that: ~이므로 (이유)
이제 Beth는 새 차가 있어서 그녀는 더 이상 통근 열차를 타고 출근하지 않는다.

02 nor 뒤에는 주어와 동사가 도치됨
나는 그 어린이들이 무례하다고 생각하지도 않지만, 나는 내가 불복종당할 것이라고 생각하지도 않는다.

03 간접의문문의 주어와 동사는 평서문의 어순
이 정보는 그들이 어떤 변화를 겪고 있으며, 그 과정을 어떻게 부드럽게 할 것인지 이해하는데 도움을 줄 것이다.

04 whereas: 대조
구식 시스템은 꽤 복잡한 반면, 새 시스템은 매우 간단하다.

05 whether: ~이든지 말든지
네가 좋아하든 아니든 나는 의사에게 전화할 것이다.

06 as: ~하면서
우리는 Ted가 운전하면서 떠날 때 우리는 그에게 손을 흔들어 작별인사했다.

07 명사절은 의문문의 의미가 되어야 하므로 if가 적절
나는 네게 여기서 그녀를 알아볼 수 있을지 모르겠지만, 신문을 읽고 있는 소녀는 Susan이다.

08 not A or B: A와 B를 모두 부정하는 표현
나는 여기서 투자 수입이 부당하거나 자본주의를 없애자고 주장하는 것이 아니다.

09 so that: ~하기 위하여
인구조사는 정확한 통계를 잡을 수 있도록 10년마다 이루어져야 한다.

10 not A until B: B이후에야 A하다
최남단에 있는 강의 원류는 1895년이 되어서야 발견되었다.

11 so → such
낙태는 너무 복잡한 사안이라서 그에 대한 해결책을 쉽게 찾을 수 없다.

12 about 삭제 (that절 앞에는 전치사 생략)
Jerry는 당신에게 그 책을 빌려주지 않을 것이다. 왜냐하면 그는 당신이 그것을 돌려주는 것을 잊어버릴까 봐 걱정하기 때문이다.

13 간접의문문의 주어(who)와 동사는 평서문 어순
몇몇 전문가는 누가 다음 대통령이 될지 정확히 예측했다.

14 No matter however → No matter how
아무리 사소하더라도 어떤 변화라도 보고하셔야 합니다.

15 despite of → despite(in spite of)
내가 아무리 친근하게 대하려고 노력해도 Morrow 씨는 나에게 웃어주거나 말을 걸지 않는다.

16 whichever+명사: 어떠한 ~를 하든지 (양보)
당신이 어떤 방법을 선택하든 그것은 어려운 수술이 될 것이다.

17 however+형용사/부사: 아무리 ~해도 (양보)
네가 아무리 똑똑해도 모든 것을 알 수는 없다.

18 belief와 동격을 이룰 수 있는 명사절 접속사 that 필요
많은 사람들은 미국이 기회의 땅이라는 믿음으로 미국으로 이주한다.

19 since: ~이므로 (이유)
네가 돈이 한 푼도 없으므로 내가 너에게 조금 빌려주겠다.

20 전치사(on)+명사절
사슴을 식단의 일부로 받아들이는 것은 미디어가 관련 정보와 요리법을 어떻게 잘 배포하는지에 달려있다.

21 의문사절의 어순은 평서문 어순이다.
야생동물을 과학적으로 관찰하는 사람은 동물이 그들의 환경 속에서 어떻게 사는지에 대한 모든 세부 사항들을 기록해야 한다. 그들의 먹는 습관과 잠자는 습관, 사회적 관계, 그리고 자기 보호 방식 등이다.

22 seem의 보어가 필요하므로 unimportant가 적절하다.
당신의 행동이 아무리 중요치 않게 보일지라도, 그것은 당신을 옳은 방향으로 출발하게 해 준다. 행동을 매일 계속하라. 그러면 당신은 탄력을 얻을 것이다.

23 unless는 '~가 아니라면'의 뜻이다.
A: 제한속도가 고속도로에서는 시속 100킬로미터이고, 주거 지역 도로에서는 시속 40킬로미터이고, 학교 지역에서는 시속 30킬로미터입니다.
B: 항상 그런가요?
A: 특별히 다른 표지가 없으면 그렇습니다.

24 (A) but: 그러나
(B) since: ~이므로
안경은 1300년만큼이나 오래 전에 발명되었다. 안경이 중세에 그려진 한 인물 위에서 어색하게 보일지 모르지만 당시에 안경은 이미 지식인 또는 존경받는 사람의 표상으로 간주되었다. 1480년 이태리 화가 Domenico Ghirlandajo가 Jerome 성인의 초상화를 그렸는데, 그 초상화 속에는 책상에 걸려 있는 안경이 그려져 있었다. 그러한 세부 사항은 놀랍다. Jerome 성인은 이미 천 년 전에 죽은 사람이었기 때문이다.

수능따라잡기

p. 027

01 ③ **02** ③

01 what은 완전한 절을 이끌 수 없다.
많은 소비자들은 상품을 시장에서 구입할 수 있다는 것을 알게 된 후에야 상품을 구매한다. 어떤 상품이 시장에 출시된 이후에도 한동안 광고가 되지 않았다고 가정해보자. 그렇다면 어떤 일이 일어날까? 소비자들은 상품이 존재한다는 것을 알지 못해서, 그 제품이 그들에게 유용하더라도 아마도 사지 않을 것이다. 광고는 또한 사람들이 그들에게 최적의 상품을 찾을 수 있게 해준다. 사람들은 전체 범위의 상품들을 알게 되었을 때, 힘들게 번 돈으로 원하는 것을 얻기 위해서 상품을 비교하고 구매한다. 그래서 광고는 일상생활에서 필수적인 것이 되었다.

02 (A) not A but B: A가 아니라 B
(B) because+주어+동사
(C) heard-began: 병렬구조
그가 그것을 해낸 첫 번째 사람은 아닐지라도 네덜란드의 안경알 제작자 Hans Lippershey는 17세기에 한 개의 관 양쪽 끝에 두 개의 렌즈를 붙여 '소형 망원경'을 만든 것에 대해 인정을 받고 있다. 심지어 그 때도, 두 개의 렌즈가 가까운 풍향계를 더 크게 보이도록 한다는 것을 발견한 사람은 Lippershey가 아니라 그의 아이들이었다. 그 렌즈들은 매우 강한 것이 아니었기 때문에 이런 초기 도구들은 장난감에 지나지 않았다. 소형 망원경을 하늘로 향하게 한 첫 번째 사람은 Galileo Galilei라는 이름을 가진 이탈리아 수학자이자 교수였다. 네덜란드의 소형 망원경에 대해 듣고 자기만의 소형 망원경을 만들기 시작했던 Galileo는 그 장치가 군대와 선원들에게 얼마나 유용할지를 즉시 깨달았다. 나중에 망원경이라 불리게 된, 더욱 개선된 소형 망원경들을 만들면서 Galileo는 망원경을 달로 향하게 했다.

PART 2
관계사

Lesson 01 Exercises

p. 035

A 01 which 02 whom 03 which
04 whose 05 need

B 01 The fish that[which] we had for dinner was really delicious.
02 Most of the people who[that] work in Peter's office are very nice.
03 Rex Carter is the farmer whose land Derek bought.
04 The jacket which[that] Melanie wore at the party is really nice.

C 01 Let's go through the main points (which) he made in his lecture.
02 We are looking for a lady whose daughter is 16 years old.
03 Those boxes which[that] are on the table are mine.
04 Show me the photos (which) you took last night.

A
01 선행사가 사물이므로 which가 적절
Tom이 하는 이야기는 보통 매우 재미있다.
02 invite의 목적어가 될 수 있는 whom이 적절
내가 파티에 초대한 사람들의 대부분은 올 수 없었다.
03 선행사가 사물이므로 which가 적절
사전은 단어의 뜻을 알려주는 책이다.
04 소유격 관계대명사(whose)+명사
며칠 전에 나는 TV방송국에 일하는 여동생이 있는 한 남자를 만났다.
05 선행사가 복수이므로 복수 동사가 적절
Mary는 기하학에 추가적인 도움이 필요한 학생들을 가르친다.

B
|보기| 그는 우리 집에 페인트칠을 해 준 남자이다.
01 우리가 저녁식사로 먹은 생선은 매우 맛있었다.
02 Peter의 사무실에서 일하는 대부분의 사람들은 매우 친절하다.
03 Rex Carter는 Derek이 구입한 땅의 농부이다.
04 Melanie가 파티에서 입었던 외투는 매우 훌륭하다.

Lesson 02 Exercises

p. 037

A 01 permits 02 have
03 threatened 04 is based
05 about whom

B 01 ③ 02 ④ 03 ③ 04 ③ 05 ②

C 01 English has an alphabet which[that] consists of 26 letters.
02 The subject in which I excel in school is English.
03 The problem (which[that]) I expected will happen soon.
04 This is an issue about which we should talk.

A
01 선행사가 단수이므로 단수 동사가 적절
주민들은 낮에만 길거리에 주차를 허용하는 법을 바꾸고 싶어 한다.
02 관계대명사 which가 have의 목적어이므로 it은 불필요
그 여성은 가난한 사람들에게 기부하기를 바라는 어떤 것을 가지고 있었다.
03 관계사절 안의 동사가 필요하므로 threatened가 적절
인도네시아 해안을 위협했던 태풍은 그곳에서 물러났다.
04 관계사절 안의 주어는 metric system이므로 단수동사 is가 적절
미터 체계가 기반하는 기준은 약간 부정확하다는 것이 발견되었다.
05 의미상 write about the people이 되어야 하므로 전치사가 필요
그 소설가가 그리는 사람들은 공장 노동자와 그의 가족들이다.

B
01 visit it → visit
우리가 가보고 싶었던 그 박물관은 우리가 도착했을 때 닫혀있었다.
02 leading → lead
그는 베란다로 이어지는 계단 몇 개를 올랐다.
03 him → 삭제
비행기에서 내 옆자리에 앉았던 그 남자는 말하는 것을 멈추지 않았다.
04 which → with which
망치는 못을 박는 도구이다.
05 on which → which
이것은 승객들로 붐비는 비행기이다.

Lesson 03 Exercises

p. 040

A 01 who stole 02 which 03 who
04 whose 05 whose

B 01 is → are 02 which 삭제 03 틀린 곳 없음
04 she 삭제 05 having → have

C 01 There are three students in my class who speak French.
02 Is this the article which you were interested in?
03 The man who paid for the meal is a friend of Tom's.
04 Catherine Smith is the woman who works at the post office.
05 I took a picture of the rainbow which had appeared in the sky.

A
01 「주격 관계대명사+동사」로 선행사 수식
미술관에서 그림을 훔친 도둑들이 파리에서 체포되었다.
02 선행사가 사물이므로 which가 적절
엄마는 내가 슈퍼마켓에서 사온 식품들로 요리를 했다.
03 주격 관계대명사(who)+동사
사고에서 부상당한 소녀는 현재 병원에 있다.
04 소유격 관계대명사(whose)+명사
여권을 도난당한 소녀의 이름은 무엇이니?
05 소유격 관계대명사(whose)+명사
우리는 뜻을 모르는 단어를 찾아봐야 한다.

B
01 Flowers 씨가 집에 가지고 있는 그림들은 가치가 10만 달러 정도 된다.
02 레이저는 현재 3차원 이미지 생성에 사용된다.
03 그는 지난밤에 내가 누구를 만났는지 알고 있다.
04 그 대학에서 언어학을 가르치는 한 여성은 뛰어난 연구로 상을 받았다.
05 작은 빨간색 점으로 표시된 그림들은 이미 팔렸다.

Lesson 04 Exercises

p. 043

A 01 when 02 why 03 where
04 which 05 Ø

B 01 where you had lunch
02 on which
03 a reason why[that]
04 for which

C 01 This is the train where she has lost her wallet.
02 The reason why I'm phoning you is to invite you to my birthday party.
03 (Please) Tell me how I can pay for the trip.
04 Paula remembers the day when she first visited her grandparents.

A
01 시간+when
Mike가 캠핑을 간 그 주는 그 해에 가장 습한 때였다.
02 reason+why
나는 그가 늦었던 이유를 이해할 수 없다.
03 장소+where
이곳이 그 사고가 일어났던 장소이다.
04 관계부사(where)는 전치사(in)와 쓸 수 없음
그곳이 우리 형이 태어난 도시이다.
05 관계부사(where)는 전치사(at)와 쓸 수 없음
저곳이 Ken과 Kate가 결혼한 교회이다.

B
01 네가 점심을 먹은 식당의 이름이 뭐니?
02 우리가 에세이를 제출해야 하는 날짜를 알고 있니?
03 내가 행사에 오고 싶지 않은 이유가 있다.
04 제가 당신을 고용해야 하는 설득력 있는 이유 하나를 말해 주세요.

Lesson 05 Exercises
p. 048

A 01 what　02 which[that]
03 whoever　04 whatever

B 01 ②　02 ①　03 ③　04 ④　05 ③

C 01 What he saw made him upset.
02 She gives her children everything that they want.
03 Whoever[Anyone that] is responsible for this will be punished.
04 I enjoy eating whatever[anything that] you cook.

A 01 그 질문은 내가 수년간 물어왔던 것이다.
02 나는 누구에게도 무슨 일이 일어났는지 말하지 않을 것이다.
03 나는 그 집을 사는 누구든 부럽지 않다. 그것은 상태가 매우 안 좋다.
04 잘못되는 모든 일에 대해 내 탓을 하는 이유가 뭐니?

B 01 that → what
Norman은 성공하기 위해 필요한 일을 할 것이다.
02 Which → What
Bob이 식당에서 추천한 것은 너무 비쌌다.
03 what → which(that)
나는 남동생에게 내가 몇 달 전에 산 작은 책꽂이를 주었다.
04 which → whatever
나는 이제 교복을 입을 필요가 없으니, 내가 원하는 것은 무엇이든 입을 수 있다.
05 to whomever → to whoever
그 부유한 여성은 잃어버린 자신의 차를 되찾을 수 있는 사람은 누구든지 보상해 줄 것을 제안했다.

Lesson 06 Exercises
p. 051

A 01 Tom's father, who　02 which
03 which　04 none of which
05 which

B 01 Mr. Hogg is going to Canada, which made his mom feel sad.
02 I have four brothers, three of whom are professional athletes.
03 Tom made a number of suggestions, most of which were very helpful.
04 Tina Harris, whose brother is the actor Paul Harris, is a good friend of mine.

C 01 Ann quit her job at the advertising agency, which surprised everyone.
02 This festival, whose origin is unknown, has become a national event.
03 Jack has three brothers, all of whom are married.
04 Norman won $30,000, half of which he gave to his parents.

A 01 계속적 쓰임(, +관계사)으로 선행사를 보충 설명
Tom의 아버지는 78세인데, 매일 수영한다.
02 콤마(,)와 관계사 that은 같이 쓸 수 없음
그녀는 나에게 그녀의 주소를 말했고, 나는 그것을 종이에 적었다.
03 계속적 쓰임(, +관계사)으로 선행사를 보충 설명
자동차 공장 파업은 10일 동안 이어졌는데, 지금은 끝났다.
04 관계사 which로 명사(jackets)를 대신
그는 3벌의 외투를 입어보았는데, 그 중 아무것도 맞는 것이 없었다.
05 관계사 which로 앞 절 전체를 대신
그녀가 파티에 올 수 없었던 것은 유감이었다.

B |보기| 그는 길을 잃어버려서 시간이 많이 지체되었다.
01 Hogg 씨는 캐나다로 갈 것인데, 그것이 그의 엄마를 슬프게 만들었다.
02 나는 남자형제가 4명이 있는데, 그 중 3명은 프로 운동선수이다.
03 Tom은 몇 가지 제안을 했는데, 그 중 대부분이 매우 도움이 되었다.
04 오빠가 배우 Paul Harris인 Tina Harris는 나의 좋은 친구이다.

Review Test

p. 052

01 which　02 Simon Bolivar, who
03 many of whom　04 that
05 what　06 whoever
07 whatever　08 what
09 measures　10 what
11 ④→ 삭제　12 ②→ when[on which]
13 ③→ whose　14 ③→ which
15 ①→ What
16 ①　17 ①　18 ③　19 ④　20 ②
21 ③ who deal　22 most of which
23 whose achievements　24 which, What

01 앞 절 전체를 받는 관계사 which가 적절
그는 30분 늦게 도착했는데, 이 때문에 우리는 매우 짜증이 났다.

02 Simon Bolivar는 고유명사이므로 계속적 쓰임이 와야 함
Simon Bolivar은 남아메리카의 위대한 장군인데, 19세기 초에 독립 투쟁을 이끌었다.

03 두 절을 잇는 접속사가 없으므로 관계사절이 필요
Tom은 친구가 많이 있는데, 그들 중 많은 이들이 같이 학교에 다녔던 사람들이다.

04 the way는 how와 함께 쓰일 수 없음
나를 화나게 한 것은 그들이 그를 대접한 방식이었다.

05 what+명사: 얼마 안 되는 …
그들은 가지고 있던 몇 푼 되지 않은 돈을 사용해야 했다.

06 주격으로 쓰일 수 있는 복합관계사가 필요
나는 전화를 받는 사람은 누구든 통화를 하고 싶다.

07 의미상 '네가 원하는 것은 무엇이든'의 whatever가 적절
이 식당은 매우 비싸! 하지만 네가 원하는 것은 무엇이든 주문해. 너의 생일은 매우 특별한 시간이니까.

08 what은 선행사가 필요 없는 관계사
나는 이 가게에서 아무것도 안 살 것이다. 그들은 내가 필요한 것을 가지고 있지 않다.

09 선행사가 단수이므로 단수동사 measures가 적절
보수계는 한 사람이 걷는 거리를 재는 도구이다.

10 what은 선행사가 필요 없는 관계사
나는 네가 방금 말한 것에 동의할 수 없어.

11 in → 삭제
그 작가는 자신이 자란 사회를 완전히 이해했다.

12 which → when(on which)
그날은 화성행 우주 비행선이 떠나기로 되어있는 날이다.

13 who → whose
우리는 영업실적이 우리보다 건전한 회사로부터 배워야 한다.

14 that → which
흙에서 발견되는 부식토는 식물의 뿌리가 수분과 영양분을 빨아들이는 잔털을 내보내도록 한다.

15 That → What
WHO가 가장 두려워하는 것은 바이러스가 일반 독감에 걸린 사람에게 감염되면 돌연변이를 일으킬 수 있다는 것이다.

16 앞 절 전체를 받는 관계사 which가 적절
Tom은 언제나 나를 훼방 놓는데, 이것은 나를 화나게 한다.

17 주격 관계사 whoever가 적절
대학은 등록금을 내는 사람들 누구에게나 그저 학위를 주는 것이 아니다. 학생들은 학업적 요구를 충족시켜야 한다.

18 앞에 전치사가 있으므로 which가 적절
이것이 당신이 소포가 배달되기 바라는 주소인가요?

19 앞에 언급된 여러 벤처사업 중 한 군데를 가리키므로 one of which가 적절
Jerry는 벤처사업 몇 군데에 참여하고 있는데, 그 중 한 군데만 수익이 있다.

20 두 절을 연결하는 접속사가 없으므로 관계사절이 필요
그는 한 무리의 사람들과 산을 올라갔는데, 그들 중 그러한 산행에 장비를 갖춘 사람은 거의 없었다.

21 관계사절 안의 동사가 필요
미국에는 먹을 음식이 충분하지 않은 사람들이 있다. 그 중에는 아이들도 있다. 미국에는 가족이 충분한 음식을 갖지 못한 아이들이 3백만이 넘는다. 기아의 고통과 싸워야 하는 아이들은 학교에서 집중하는데 어려움을 겪는다.

22 앞에 언급된 fighting sports 중 대부분을 의미하는 most of which가 되어야 함
성룡의 영화를 즐겼던 사람들은 쿵푸와 그 밖의 다른 무술에 관심을 갖게 되었다. 무술이라는 용어는 일반적으로 다양한 싸움 경기를 뜻하는데 이들의 대부분은 극동 지역에서 시작되었다.

23 관계사절 동사 were와 연결될 수 있는 주어가 필요하므로 whose achievements가 적절
마야 인디언들은 똑똑하고, 업적이 많은 문화적으로 풍요로운 사람들이다. 그들은 논밭과, 아름다운 궁전과, 많은 건물이 있는 도시가 있었다.

24 (A) 앞에 쉼표가 있으므로 계속적 쓰임의 관계대명사 which가 필요
(B) What = The thing which
William Shakespeare의 대다수 희곡들처럼 로미오와 줄리엣은 그 이전의 출처에 근거하고 있고, 이 출처들은 이번에는 1400년대 말 이태리에서 유행했던 몇 가지 이야기들로 거슬러 올라간다. 이 이야기들은 Brooke이라는 한 시인에 의해 영시로 바뀌어졌다. 오늘날 Brooke의 시는 잊혀졌지만, Shakespeare의 희곡을 살아남게 만든 것은 그 극적인 힘과 놀라운 언어이다.

수능따라잡기

p. 055

01 ⑤　02 ③

01 which → who(that)
시간을 내서 만화책을 읽어보라. 이것은 만화책은 당신을 행복하게 만들어줄 뿐만 아니라, 삶의 본질에 대한 지혜를 보여준다는 면에서 가치가 있다. 나는 매일 아침 *Charlie Brown*과 *Blondie*를 읽는데, 그들은 내가 미소로 하루를 시작할 수 있도록 도움을 준다. 당신이 신문의 만화란을 읽을 때, 당신을 웃겼던 만화를 잘라내라. 그것을 냉장고나 직장과 같이 가장 필요한 곳에 붙여라. — 그래서 당신이 그것을 볼 때마다 당신은 미소를 짓고 당신의 정신이 고취되는 것을 느낄 것이다. 당신이 가장 좋아하는 만화를 당신의 친구들과 가족과 공유해서 모두가 한바탕 웃을 수 있도록 하자. 당신이 한바탕 웃음이 필요한 병원에 있는 환자를 방문할 때 만화를 가지고 가라.

02 (A) 선행사가 사물이므로 that이 적절
(B) 이 문장의 동사는 costs이므로 분사구 처리가 적절
(C) 선행사가 있으므로 that이 적절

비용 절감은 수익성을 높일 수 있지만 완벽하지는 않다. 제조업체가 비용을 너무 큰 폭으로 절감해서 제품의 질을 떨어뜨린다면, 증가된 생산성은 오래 가지 못한다. 더 나은 접근법은 생산성을 개선하는 것이다. 사업체가 똑같은 직원들로부터 더 많은 생산성을 얻을 수 있다면, 그들은 잉여자본을 이용할 것이다. 그들은 자신들이 팔 수 있는 제품을 더 많이 만들어내고, 각 제품의 단가는 떨어진다. 생산성 향상에 필요한 기계류나 직원 훈련 비용이 생산성 향상으로 얻은 이득보다 작다면, 어떤 사업체든 쉽게 투자를 할 수 있다. 생산성 향상은 경제에서뿐만 아니라 생산성을 향상하는 개별 사업체에도 중요하다. 생산성 향상은 일반적으로 모두의 삶의 질을 향상시키고 건전한 경제의 좋은 지표가 된다.

PART 3
기타 구문

Lesson 01 Exercises

p. 065

A 01 was → were　02 are → is
03 are → is　04 are → is
05 seem → seems

B 01 are　02 is　03 are　04 are　05 are

C 01 Half of the books are placed on the desk.
02 The science classes at this school are difficult.
03 Measles has killed a large number of children in the region.
04 What they need in these areas is fresh water.
05 About 30 percent of the milk consumed in this country is imported.

A 01 「a number of＋복수 명사」는 복수 취급
많은 질문이 이루어졌다.
02 가격, 시간, 거리, 무게 등은 하나의 덩어리로 취급해서 단수 취급
90킬로그램은 내가 들기에 너무 무겁다.
03 학문명은 단수 취급
경제학은 어려운 과목이다.
04 동명사나 to부정사 주어는 단수 취급
큰 동물을 애완동물로 작은 집에서 키우는 것은 잔인하다.
05 명사절 주어는 단수 취급
그가 그의 세대의 많은 재능 있는 골프선수들 중 가장 뛰어나다는 것은 논란의 여지가 없는 것 같다.

B 01 who의 선행사는 「the＋형용사(~하는 사람들)」형식을 취하고 있으므로 복수 동사가 적절
이 엉덩이 패드는 쉽게 넘어지는 노인들을 위해 발명되었다.
02 동사는 either에 일치시켜야 하므로 단수 동사가 적절
나는 그 두 개의 대안 중 괜찮은 것이 있는지 궁금하다.
03 관계사절의 수식을 받고 있는 Those books가 주어이므로 복수 동사가 적절
그가 책꽂이에 꽂고 있는 책들은 매우 오래되었다.
04 either A or B가 주어 자리에 오면 B에 동사 일치
그나 그의 부모는 Peterson 선생님을 만날 것이다.
05 주어는 some of the deer이므로 복수 동사가 적절
공원에 수용된 사슴들 중 일부가 강 건너에 있다.

Lesson 02 Exercises

p. 071

A 01 Her parents do love her.
02 You do need a good rest.
03 Do have some more soup.
04 Melanie does help a lot of people.
05 I did prepare for the test.

B 01 What I said
02 What we gave them
03 What upset me most
04 What annoyed me was
05 What I'm going to do

C 01 It is how she does it that I object to.
02 It was only last year that[when] he turned professional.
03 It was on the road that[where] the accident took place.
04 It is Mercury that is the nearest planet to the sun.
05 What is it that you must pay attention to?

A 01 그의 부모님은 그녀를 정말 사랑한다.
02 너는 정말로 양질의 휴식이 필요하다.
03 수프 좀 더 먹어라.
04 Melanie는 정말 많은 사람들을 돕는다.
05 나는 정말로 시험에 대비를 했다.

B 01 나는 Bernard가 오스트리아로 휴가를 떠날 것이라고 말했다.
= 내가 말한 것은 Bernard가 오스트리아로 휴가를 떠날 것이라는 것이었다.
02 우리는 그들에게 집에서 만든 케이크를 주었다.
= 우리가 그들에게 준 것은 집에서 만든 케이크였다.
03 그의 무례함은 나를 가장 화나게 했다.
= 나를 가장 화나게 한 것은 그의 무례함이었다.
04 그녀가 늦은 것에 대해 사과하지 않은 것은 나를 짜증나게 했다.
= 나를 짜증나게 한 것은 그녀가 늦은 것에 대해 사과하지 않았다는 것이다.
05 나는 그를 혼쭐낼 것이다.
= 내가 하려는 것은 그를 혼쭐내는 것이다.

C 01 내가 반대하는 것은 그녀가 그것을 하는 방식이다.
02 그가 프로로 전향한 것은 작년이 되어서였다.
03 사고가 일어난 것은 길 위에서였다.
04 태양과 가장 가까운 행성은 바로 수성이다.
05 네가 주의를 기울여야 하는 것은 무엇이니?

Lesson 03 Exercises

p. 078

A 01 live
02 did the idea of atoms appear
03 are passengers
04 will world governments

B 01 So did I.
02 Neither could I.
03 Neither have I.

C 01 Away ran the terrified boy.
02 Never does she come home late.
03 Only then did I realize how dangerous the situation was.
04 Not until August did the government order an inquiry into the accident.

A 01 주어(a wizard and three witches)가 복수이므로 복수 동사가 적절
강 위쪽에는 한 명의 마법사와 세 명의 마녀가 산다.
02 부정어가 문두로 나갔으므로 주어와 동사가 도치
17세기가 되어서야 원자의 개념이 생겨났다.
03 부정어가 문두로 나갔으므로 주어와 동사가 도치
어떤 상황에서든 승객들은 스스로 문을 열 수 없습니다.
04 only가 포함된 부사절이 문두에 있으므로 주어와 동사가 도치
기아가 악화되고 나서야 세계 정부는 행동을 취할 것이다.

B |보기| A: 나는 피곤해. B: 나도 그래. A: 나는 계란을 좋아하지 않아. B: 나도 그래.
01 A: 나는 저녁 내내 TV 보면서 지냈어.
B: 나도 그랬어.
02 B: 나는 오늘 아침에 일어날 수 없었어.
B: 나도 그랬어.
03 A: 나는 아프리카에 간 적이 없어.
B: 나도 그랬어.

Lesson 04 Exercises

p. 083

A 01 so 02 not 03 don't think so
04 so 05 not 06 it is
07 did the residents

B 01 how
02 Jason will
03 by another two
04 but I did
05 you don't need to

A 01 긍정절이므로 so로 대신
A: Don이 또 아프니?
B: 음, 그가 출근하지 않았으니, 그러지 않을까 해.
02 부정절이므로 not으로 대신
A: 시험 결과가 형편없어. 학생들이 질문을 이해했다고 생각하니?
B: 그런 것 같지 않아.
03 think 동사의 경우 부정은 don't think so로 표현
A: Jill은 결혼 했니?
B: 아닌 것 같은데.
04 긍정절이므로 so로 대신
A: 그녀는 심하게 다쳤니?
B: 유감스럽게도 그래.
05 부정절이므로 not으로 대신
A: 나한테 돈 좀 빌려줄 수 있니?
B: 미안하지만 안 될 것 같아.
06 so+주어+정동사: 정말 그렇다
A: 저 말이 다리를 절고 있어.
B: 그러네. 소유주한테 알려줘야 할 것 같아.
07 so+정동사+주어: ~도 또한 그렇다
A: 위원회는 슈퍼마켓이 건축되길 바랐어.
B: 주민들도 마찬가지였어.

B 01 사업을 시작하길 원한 적이 있으신가요? 이 책에서 그 방법을 알려드립니다.
02 Shirley가 위원회에서 사퇴할 때, Jason도 그럴 것이다.
03 첫 동굴 탐험이 있은 후 두 건의 탐험이 즉시 뒤따랐다.
04 나는 파티에서 즐거운 시간을 보내리라고 기대하지 않았지만, 즐거운 시간을 보냈다.
05 A: 제가 시험에 계산기를 가지고 갈까요?
B: 아니요. 당신은 그럴 필요 없어요. 계산기는 제공될 거예요.

Review Test

p. 084

01 was 02 is
03 stood an old castle 04 is
05 sleeping 06 need
07 nor do they have to 08 so
09 What
10 are seven pairs of chromosomes
11 ③ → is 12 ② → running
13 ② → have there been
14 ④ → is 15 ② → was

16 ② 17 ① 18 ② 19 ④ 20 ②
21 ① charm 22 was their English
23 ④ 24 go → goes

01 부분을 나타내는 표현 뒤에 불가산 명사가 오므로 단수 동사가 적절
그 업무의 2/3은 그의 조수가 처리했다.

02 A as well as B가 주어인 경우 A에 수 일치
테이블은 물론 그 의자도 나무로 만들어졌다.

03 장소 부사구가 문두로 나갔으므로 주어와 동사가 도치되어야 함
그들 앞에 있는 언덕에는 오래된 성이 서 있었다.

04 주어가 「one of 복수 명사」 형태이므로 단수 동사가 적절
그 학생들 중 한 명은 이탈리아에서 왔다.

05 등위 접속사 앞에 현재분사가 나열되어있으므로 sleeping이 적절
대부분 어린 아이들은 그들의 시간을 놀고, 먹고, 잠자는 데 많이 보낸다.

06 do에 의한 강조, do/does/did+동사원형
글쓴이는 과정을 수행하는 방법을 설명하는 글에서 명료하고 정확한 지침이나 지시를 줘야 한다.

07 nor 뒤에는 주어와 동사가 도치됨
장애가 있다고 해서 개인의 권리의 중요성이 약화되거나 사회에 참여하거나 공헌한 기회가 줄어들 필요는 없다.

08 so가 보어인 more aggressive를 대용
그 심판의 잘못된 판정이 선수들을 더 공격적으로 만들었고, 그들은 경기가 끝날 때까지 그 상태를 유지했다.

09 명사절에서 meant의 목적어가 없으므로 목적어가 포함된 관계사 What이 적절, what 강조 구문
내가 의미한 것은 Erica는 내가 다시 필요할 때까지 내 자전거를 빌릴 수 있다는 것이었다.

10 장소 부사구가 문두에 나왔으므로 주어와 동사가 도치되어야 함
일반적인 꼬투리 완두콩의 세포 속에는 7쌍의 염색체가 있다.

11 are → is (주어: a self-portrait by Picasso)
미술관의 수많은 귀중한 그림들 중에는 Picasso의 자화상이 있다.

12 to run → running (병치 구조)
30분을 빨리 걷거나 15분을 뛰는 것은 대략 동일한 양의 칼로리를 태운다.

13 there have been → have there been (부정어 도치)
인류 역사에 있어서 이 비교적 작은 행성에 지금보다 더 많은 사람이 살았던 적은 결코 없었다.

14 are → is (all the information에 수 일치)
전 세계 컴퓨터의 모든 정보의 약 80퍼센트는 영어로 되어있다.

15 were → was (neither A nor B: B에 수 일치)
기자나 편집자나 발행인이 제시한 봉급에 만족하지 않았다.

16 the number of 복수명사: 단수 취급
폭력 범죄의 수치가 최근 줄어들었다.

17 등위접속사는 명사를 연결되고 있으므로 명사형이 적절
내가 필요한 정보는 그저 각 개인의 이름, 계급, 군번이었다.

18 등위접속사 앞 동사 expands와 병치 구조를 이뤄야 함
눈의 동공이 심장이 뛸 때마다 약간씩 확대되었다가 축소된다.

19 부정어가 문두에 오면 주어와 동사가 도치되어야 함
그가 호텔에 도착하자마자 폭설이 내렸다.

20 it ~ that 강조구문
Mark는 오래 전부터 그의 부모님이 이번 주말에 우리와 함께 머물 예정이라는 것을 알고 있었지만, 그는 어제가 되어서야 나에게 말했다.

21 등위접속사 앞 cut, cure와 병치구조를 이뤄야 하므로 charm이 적절
다이아몬드는 지구상에서 다른 거의 모든 것보다 오래되었다. 다이아몬드는 유리를 자르기 위해, 뱀에 물린 곳을 치료하기 위해, 왕과 왕비의 환심을 사기 위해 사용되어 왔다. 그 빛나는 아름다움으로 유명한 다이아몬드는 지구상에서 가장 딱딱한 물질이며, 가장 유용한 물질 중 하나이다. 그러나 다이아몬드를 채굴하는 것은 돈이 많이 들고 힘이 드는 작업이다.

22 nor 뒤에는 주어와 동사가 도치됨
우리가 말하고 쓰는 영어는 우리의 할아버지들이 말하고 쓰던 영어와 같지 않다. 또한 그들이 쓰던 영어는 엘리자베스 여왕 시대의 영어와도 정확히 같지 않다.

23 (A) 동사는 are not이므로 The bacteria를 수식하는 분사형이 적절
(B) it ~ that 강조 구문
모든 치즈는 다양한 박테리아가 붙어 있는 우유로 만들어진다. 스위스 치즈를 만드는데 사용되는 박테리아는 사람에게 해롭지 않다. 그것들은 치즈를 숙성시키는 데에 꼭 필요하다. 자신의 특별한 맛과 색이 생겨나는 때는 치즈가 숙성되는 동안이다.

24 일부분을 나타내는 표현 뒤에 나온 명사는 불가산명사 the rubber이므로 단수 동사가 적절
고무는 여러 분야에서 매우 유용하다. 미국에서 사용되는 고무의 약 5분의 3은 타이어와 튜브에 쓰인다. 공장들은 고무를 방수 앞치마, 장화, 비옷, 장갑, 모자를 만드는데 사용한다.

수능따라잡기

p. 087

01 ⑤ 02 ④

01 does → do (older models에 수 일치)
소비자의 향상된 물 사용 의식은 많은 물을 아끼는 가장 저렴한 방법일 지 모르지만, 그것은 소비자가 물을 아끼는 데 기여할 수 있는 유일한 방법은 아니다. 이전보다 더 빨라진 처리 기술 덕에 소비자가 가정에 설치해서 더 많이 아끼도록 할 수 있는 기구들이 많아졌다. 오늘날 고효율 변기의 35종 이상이 미국 시장에 나와있고, 그들 중 일부는 물을 한번 내릴 때마다 1.3갤런도 쓰지 않는다. 가격대가 200달러부터 시작하는 이 변기들은 저렴해서 일반적인 소비자들이 매년 수백 갤런의 물을 아낄 수 있도록 도와준다. 가장 효율적이라고 공식적으로 인정된 제품들은 '에너지 스타' 로고가 부착되어있어, 소비자들에게 알려준다. 이런 등급을 받은 세탁기는 1회분의 세탁량에 18~25갤런의 물을 쓰는데, 구 모델은 40갤런을 쓴다. 이는 상당량의 물이다. 고효율 식기세척기는 더 많은 물을 아낀다. 이 제품들은 구 모델에 비해서 최대 50퍼센트 적은 물의 양을 소비한다.

02 (A) 일부분을 나타내는 표현 뒤에 나온 명사 the material과 수가 일치되어야 하므로 is가 적절
(B) but must be~에서 must가 반복되어 생략
(C) 주어는 material이므로 단수 동사 does가 적절
작가들은 치열하게 자신들의 원고를 출판사에 팔기 위해 경쟁한다. 나는 출판사에 제출된 원고 중 출판되는 것은 1퍼센트도 안 되는 것으로 추산하고 있다. 워낙 많은 원고가 쓰이기 때문에 출판사들은 매우 까다로울 수 있다. 그들이 출판하기로 선택한 원고는 상업성이 있어야 할 뿐만 아니라 편집적, 사실적 오류 없이 훌륭하게 써져야 한다. 오류가 있는 원고는 출판되기로 받아들여질 가능성이 없다. 대부분의 출판사는 오류가 너무 많은 원고를 쓰는 작가들과 시간을 허비하고 싶어 하지 않는다.

WORKBOOK

PART 1 절과 접속사 p. 090~093

Lesson 01

A 01 O 02 X 03 X 04 O 05 X

B 01 you should
02 because
03 Although / (Even) Though
04 while
05 he had

C 01 that she doesn't remember what she said
02 but I am in serious trouble
03 so he will check your email later
04 When they arrived at the airport
05 As you explained on the phone

Lesson 02

A 01 but 02 nor 03 so 04 or 05 for

B 01 know 02 is
03 have 04 wants
05 hopes

C 01 nor does his dad
02 for they are soldiers
03 yet some people admire her
04 neither useful nor interesting
05 to not only China but (also) Japan / not only to China but (also) to Japan

Lesson 03

A 01 that 02 Whether
03 that 04 that
05 if[whether]

B 01 주어 02 목적어
03 목적어 04 동격
05 보어

C 01 I don't know where I should meet him.
02 I wonder who broke this vase.
03 Do you know what your brother did?
04 I want to know if[whether] she is our new boss.
05 Can you tell me why you were dancing in the hallway?

Lesson 04

A 01 since 02 until
03 Even though 04 as long as

B 01 Unless you buy tickets in advance, you won't be able to watch the performance.
02 The park was such a dangerous place that my dad wouldn't let me go there.
03 The steak was so thick that I had trouble chewing it.

C 01 while they were traveling around Italy
02 In case she loses her suitcase
03 in order that I could concentrate on the lecture
04 as he was busy cleaning up the house

PART 2 관계사 p. 094~099

Lesson 01

A 01 which 02 whose
03 whom 04 who

B 01 whose 02 who[that] is 또는 is 제거
03 are 04 which
05 with which

C 01 the only one that knows her phone number
02 books which are written for children
03 a boy whose fingernails are longer than mine
04 the visitor whom you were talking to / the visitor to whom you were talking

Lesson 02

A 01 manufactures 02 are traveling
03 were 04 have
05 require

B 01 whose native languages aren't Korean
02 that were published last month
03 whom Tim is chatting with
04 over which the bird was flying
05 who knows how to look after kittens

C 01 the writers whose novels I like
02 the movie that I talked about
03 The actors whom I interviewed
04 the sandwich which was on the table

Lesson 03

A 01 the keys 02 children
03 The new employees 04 a house
05 The person

B 01 의문사 02 관계사
03 관계사 04 관계사
05 의문사

C 01 the robber whom they were looking for
02 the apple pie that was in the refrigerator
03 a company which specializes in importing tropical fruits
04 The scientists who are working on this space program
05 a journalist whose main interest is in politics

Lesson 04

A 01 how 02 why
03 where 04 when
05 where

B 01 삭제 02 which
03 where 04 which
05 when[that] 06 which

C 01 This is the album where I store lots of important photos.
02 Jason knows how he can get coffee stains off.
03 Please tell me the reason why Mark can't come to my wedding.
04 I remember the day when you had a car accident.

Lesson 05

A 01 What 02 that
03 what 04 what
05 that 06 that

B 01 Whoever 02 Whatever
03 whichever 04 whomever

C 01 what I requested
02 whoever lives in this building
03 whatever they want
04 What they told me
05 Whichever[Whatever] I choose

Lesson 06

A 01 X 02 O 03 X 04 X 05 O

B 01 which 02 whom
03 it 04 who
05 which

C 01 all of which are from Korea
02 who lives in Auckland
03 neither of whom spoke English
04 which has dual cameras on the back

PART 3 기타 구문

p. 100~103

Lesson 01

A 01 B 02 P 03 S 04 S 05 P
06 P 07 B 08 S 09 B 10 B

B 01 is 02 seems
03 have 04 live
05 keeps 06 needs

C 01 Either your brother or my sister has to take care
02 There have been many problems
03 Each person at the party received
04 Forty percent of the houses in the area were destroyed

Lesson 02

A 01 did make
02 What you need
03 was my grandfather
04 It was Katie that[who(m)]

B 01 it that 02 but
03 that 04 know
05 that[when]

C 01 It was half an hour ago that
02 What he is interested in is
03 These photos do remind me
04 Who is it that waters these plants

Lesson 03

A 01 was standing a handsome boy
02 has she experienced cold weather like this
03 were hiding the frightened kids
04 was the view from the roof

B 01 So were they
02 Neither do I
03 Neither can I

C 01 Seldom does he get off
02 Little did I understand
03 Over the pond were hovering some dragonflies.
04 So negative was her response that

Lesson 04

A 01 she was
02 drink some of this
03 listened to the radio, too
04 how the cat got out of the house

B 01 I did 02 I have
03 When asked 04 has he

C 01 but he doesn't know who
02 as well as your parents do
03 but he pretended to be
04 When left alone in the room

MEMO